KB103183

"국영수 시험 1등급이 공부의 전부라고 맹신하는

대한민국 99.9% 공부문맹,

교육관계자·학생·학부모에게 이 책을 바칩니다."

공부문맹 탈출

발 행 | 2023년 4월 25일
저 자 | 송남규
펴낸이 | 한건희
펴낸곳 | 주식회사 부크크
출판사등록 | 2014.07.15.(제2014-16호)
주 소 | 서울특별시 금천구 가산디지털1로 119 SK트윈타워 A동 305호
전 화 | 1670-8316
이메일 | info@bookk.co.kr

ISBN | 979-11-410-2597-7

www.bookk.co.kr

공부문맹 탈출

※ **'공부문맹'**이란, '좋은 대학에 진학하기 위해 국영수 시험 1등급을 목표로 하는 것만을 공부라고 하는 것'으로 규정함

楷披宋 송남규 지음

☺ 해피송(**楷披宋**, Happy Song)
(**楷**=해(행복), **披**=나눔, **宋**=송남규)

목 차

4장. 공부문맹 탈출 153

◐ 고맙습니다 ◑

※ **'공부문맹'**이란, '좋은 대학에 진학하기 위해 국영수 시험 1등급을 목표로 하는 것만을 공부라고 하는 것'임을 말씀드립니다.

20년의 학급 담임, 4년의 교육청 장학사, 7년의 교감, 그리고 현재 서울 소재의 초등학교 교장으로 재직하고 있습니다.

어떻게 하면 우리 아이들이 즐겁고 행복하게 학교생활을 할 수 있게 할까 궁리하는 지금이 참으로 행복합니다. 600여 명의 유·초등학생 얼굴을 알아보고 이름을 부르려는 미션을 하루하루 실천하는 지금이 참으로 행복합니다.

학교의 교육 구성원이 한 방향을 바라보며 '지금 그대로의 나, 있는 그대로의 나, 나는 행복해'하는 학생으로 성장할 수 있는 환경을 함께 만들고 있습니다.

'절대행복'의 삶을 살아야 할 학생과 부모님들 대부분이 겪고 있는 '비교행복'의 크나큰 어려움을 보며 이 글을 쓸 결심을 하였습니다.

"이 글을 쓸 수 있는 영감과 용기를 준 제자들이 있습니다."

매일 운동장에서 땀 흘리며 체육을 하고, 산과 들로 텐트를 들고 다니며 '옳은'교육을 하고 있다고 생각했지만 무언가 설명할 수 없는 것이 늘 맴돌았습니다. 운동과 수련 생활을 공부로 보지 않는 시선이 대부분이었기에 '이것도 공부가 아닌가?', '이런 것이 진정한 공부 아닌가?', '공부란 무엇인가?', '공부를 왜 하는가?' 등의 질문이 머리를 떠나지 않았습니다. 그러면서 스스로 '옳은'교육이라고 믿는 것을 묵묵히 실천해 왔습니다. 제자들과 학부모님, 그리고 가족의 전폭적인 지지 덕분입니다.

장학사 재직시절, 출근길 지하철에서 담임이 아닌 청소년 단체와 운동부로 인연을 맺었던 제자를 만났습니다. 그 제자가 '선생님 반 아이들은 모두 잘되는 것 같아요'라는 말에 '공부란 무엇인가'에 대한 질문에 해답을 얻었습니다.

제가 '옳은'교육을 하고 있다는 믿음과 확신에 보답하듯이, 사회의 건강한 구성원으로 살아가는 제자들이 고맙습니다. 교장 발령 축하를 위해 80여 명 직원과 넉넉하게 나눌 수 있는 떡을 가져온 태권도장을 운영하는 제자, 공부의 참뜻을 실천하여 미국 대학원 기계공학과를 장학생으로 다닌 제자, 드라마·영화 배우 분장의 전문가 길을 걷는 다둥이 아빠가 된 제자, 건강한 가정을 이루며 두 딸의 엄마로 행복하게 살며 공부 잘하는 삶을 실천하는 제자, 컴퓨터 프로그래머이자 워킹맘으로 제가 지금 재직하는 학교의 학부모가 된 제자...... 모두가 고맙습니다.

국영수 시험 1등급의 틀 속에 사로잡히지 않은 자랑스러운 제자들 덕분에 교직 33년 동안 머릿속에 맴돌던 '공부'에 대한 논리를 정리해 이야기하고자 합니다.

언제부터인가 포괄적인 의미인 '공부'가 매우 제한적인 용어로 사용되고 있습니다. 본래의 의미는 희미해지고 '시험'으로서의 공부만 존재하고 있습니다. 대한민국은 국영수 시험 1등급이 이끄는 사회가 되었습니다.

공부 = 국영수 시험 잘 보기 위해 하는 것

공부 = 좋은 대학 가기 위해 하는 것

공부 = 학원에서 하는 것

공부 잘하는 사람 = 국영수 내신 1등급, 수능 1등급컷

공부 잘하는 사람 = SKY대 진학하는 사람

공부 잘하는 사람 = 학교에서는 휴식, 학원에서 열공

공부 잘하는 사람과 못하는 사람 비율은?

공부 잘하는 사람 4%(1등급) : 공부 못하는 사람 96%(1등급 아님)

위의 표현이 너무 극단적이라고 비판하는 분들이 많이 계셨으면 좋겠습니다. 대한민국에서 공부와 시험이 동의어가 아니라고 필자를 질책하는 분들이 많았으면 정말 좋겠습니다.

공부란 무엇인가를 고민하며 진정한 공부를 실천하고자 애쓰는 분들을 감히 '공부독립운동가'라고 칭하며 제게 용기와 영감을 준 것에 깊은 감사의 마음을 전합니다.

'공부독립운동가' 분들께서 앞장서서 '무심코 사용하는 공부라는 용어가 올바르게 사용되는 데 힘을 합쳐 주십사' 하고 간절히 기도드립니다. 용어의 정의가 제자리를 찾을 때 '공부'는 회복될 수 있습니다.

'시험 잘 보기 위해 하는 것이 공부가 아니다'라는 것을 알리는 일은 입시 전쟁터의 대한민국에서 '계란으로 바위 치는 일'입니다. '사대주의로부터의 독립운동, 대일항쟁기의 독립운동'처럼 어려운 일이기에 감히 용기 내기가 쉽지 않았습니다. 국영수 시험 1등급이 이끄는 사회에서 벗어나 다양성이 상생하는 사회가 되는 데 힘쓰는 '공부독립운동가'가 되고자 결심했습니다.

한 학교의 교장으로서 '레밍쥐'처럼 달리는 '공부'의 현실을 글로 써도 되는 언론의 자유가 있는 대한민국에 감사합니다. 소신과 뚝심 있는 교육 실천에 대해 '계란으로 바위 치면 자국은 남는다'라며 용기를 준 친구에게 특히 감사의 마음을 전합니다.

공부는 자신이 좋아하는 것, 잘하는 것을 찾아가는 즐거운 길입니다. 공부는 나는 누구인가를 찾는 역량을 키워주기 위해 하는 것입니다. '지금 그대로의 나, 있는 그대로의 나, 나는 행복해~' 하는 대한민국을 꿈꿉니다.

Insight · 통찰(洞察)

-공부 잘하는 한민족(韓民族)의 DNA-

통찰(洞察)(1) 우리는 누구인가?

통찰(洞察)(2) 우리가 잘하는 것은 무엇인가?

통찰(洞察)(3) 유대인은 '나'만 사랑한다.
우리는 '너'도 사랑한다.

들어가는 글

통찰(洞察)이란, 숲과 나무를 동시에 보는 능력과 더 나아가 새로운 것을 보는 것이다.

우리나라 역사를 어떤 이는 반만년의 역사, 어떤 이는 일만 년의 역사 혹은 그 이상을 훨씬 뛰어넘는다고 한다. 5,000년의 역사만으로도 전 세계적으로 희소(稀少)하다.

대한민국은 수만 년의 모계 공동 통치사회로 이어온 문명을 통해 5,000여 년 전에 인류 최초의 계획도시 완성과 제정일치제 국가를 건설했다고 한다. 우리나라는 인류 최초의 국가 문화를 완성한 민족이라 할 수 있다.(아사달! 인류 최초의 문명을 품다, 우창수 著)

유구한 민족 역사의 한 부분만을 단절해서 본다면 코끼리 다리를 만지는 것과 같이 엉뚱한 모습을 그려내게 된다. 민족의 숲과 나무를 되돌아보며 올바른 DNA를 찾아내는 것은 우리의 본(本)모습을 살피는 것과 같다.

통찰(洞察)이 필요한 이유이다.

Insight · 통찰(洞察) (1)

우리는 누구인가?
-남녀 평등사회, 더불어 사회, 주인된 사회-

어떤 민족도 흥망성쇠(興亡盛衰)의 길을 예외 없이 걷는다. 하지만 일만 년의 유구한 역사에서 우리는 쇠(衰)해서 약해졌을 뿐 망(亡)한 세월은 없었다. 쇠(衰)해서 약해졌던 시기에 백성을 지배하려는 '소수의 욕심'에 의해 저질러진 '공부문맹'이 중국에 대한 사대주의, 일본에 의해 강제 점거당하는 민족의 수난 시대를 만들었다.

'공부문맹'은 남녀의 조화로움에서 남자 여자의 차별을 두었고, 개개인의 역할에 따른 삶에서 계급으로 철저히 차별되는 삶으로 바뀌었다. 모계(母系) 중심의 고대사회의 여성은 존귀한 존재로서 존중받았으며 고려시대까지 태어난 순서에 의해 족보에 기재되었고 상속에서도 동등한 권리를 가졌다. 우리는 서양보다 여성의 권리가 훨씬 발달한 사회를 이루고 있었다.

직업에 귀천이 없이 자신의 역할에 자부심이 있었으며 사회는 일정한 질서에 의해 안정되게 운영되었다. 창의성 넘치는 우수한 문화유산의 창조로 부국강병(富國强兵)의 시대를 누렸다. 모두가 잘사는 평등 사회, 공정 사회, 나눔 사회를 위해 문자와 인쇄술을 창조(創造)했다.

우리는 민족이라는 울타리의 경계에 두지 않고, 이웃과 상생하는 사회를 만들고자 하였다. 아픔을 이웃과 나눌 줄 알며 우리가 가진 훌륭한 것을 다른 국가와 나누는 것을 아끼지 않았다. 흉년이 들어 먹을 것이 없을 때 옆집의 굴뚝 연기를 살피고, 연기가 피어오르지 않음은 굶고 있음을 뜻하기에 자신도 부족한 음식을 나눈다. 이런 정신은 우리 이웃을 넘어 세계인과 함께하는 나눔의 정신인 것이다.

그런 정신이 '한글' 창제로 나타났고, 위대한 발명 특허 기술인 금속활자 기술을 서양으로 흘러가게 한 것이다. 전기 자동차 '테슬라(Tesla)'가 회사의 특허를 경쟁자 모두에게 공개하는 것은 우리 민족의 통 큰 개방성에 비하면 사소한 일이다.

한글은 백성들이 글을 읽고 쓸 수 있게 하여 지식을 활용하는 능력을 배가시켰다. 금속활자는 대대로 내려오는 각종 지식을 책으로 대량생산이 가능하게 하여 누구나 정보를 얻고 새로운 지식을 재창조하는 힘을 만들었다. 우리 민족이 가진 개방성은 인쇄술을 서양으로 전파되게 하였다.

금속활자본 상정고금예문(1234년)은 현존(現存)하지 않기에, 현존하는 것으로는 청주 흥덕사의 직지심체요절(1377년)이 세계 최초의 금속활자본이다. 220년이 넘어 독일의 구텐베르크가 찍어낸 성서(1455년)가 세상에 탄생된 것이다. 서양 문명 발달의 기폭제가 된 '구텐베르크의 인쇄술'은 우리가 나눈 금속활자의 기술로 가능했음이 밝혀지고 있다. 인쇄술의 발달은 세계를 하나의 마을인 지구촌이 가능하게 하였다.

백성이 잘사는 나라가 아닌 지배층만 잘살려는 수난 시대는 '상생의 법'이 아닌 '규제의 법'과 수없이 많은 각종 '예법'으로 백성을 통제함으로써 매 순간을 시험에 빠트리며 모든 것을 시험으로 판정하는 사회를 만들었다. 무엇보다도 돈에 대한 유용성과 긍정적 역할에서 돈을 멀리하라며 소수의 주머니만 채우는 거짓 사회로, 인간 본연의 도(道)와 인(仁)의 공정을 추구한다며 철저하게 구별 짓는 계급사회로 만들어 소수만을 위한 사회를 만들었다. '공부문맹'으로 거짓된 사회를 만들어 우리 민족의 주체성을 버리고 중국의 제후국을 자처했고, 사리사욕을 위해 일본에 나라를 파는 매국 행위까지 자행했다.

유구한 역사에서 힘겨웠던 세월이 한 토막의 시간으로 흘렀다. 수난을 통해 오히려 더 도약하는 회복탄력성(Resilience)의 DNA가 우리 민족에게는 있다. 과거의 실수나 실패를 밑거름 삼아 이전보다 더 높이 튀어 오르는 회복탄력성의 DNA는 우리 민족이 지닌 최대의 강점 중 하나이다.

우리는 인류와 더불어 긍정의 방향으로 가는 세계 유일무이(唯一無二)의 민족이다. 문화와 역사가 그것을 증명하고 있다. 작금에 인류가 환경 문제, 종교 문제, 영토 문제 등의 난제로 위기에 처해있다. '홍익인간'의 이념이 뿌리 깊이 심어 있는 우리나라의 역할이 더욱 중요해졌다.

우리의 역할을 충실히 해내기 위해서 수난을 불러일으킨 '공부문맹'으로부터 탈출해야 한다. 모두가 잘사는 평등 사회, 공정 사회, 나눔 사회는 공부문맹의 탈출이 최우선이다.

Insight · 통찰(洞察) (2)

우리가 잘하는 것은 무엇인가?
-종교분쟁이 없는 나라, 안전한 나라-

종교 전쟁의 역사는 매우 길고 다양하며 빈번하게 발발했으며 여전히 세계는 종교가 원인이 되는 분쟁이 지속되고 있다. 한 국가에서 허용되는 종교 이외의 종교를 믿는 자는 이단으로 몰려 죽임을 당하는 나라도 적지 않은 현실이다.

현재의 대표적인 종교분쟁은 이슬람 국가와 유대민족인 이스라엘이 벌이고 있다. 이스라엘이 있는 지역은 자살테러, 국지전(局地戰), 전면전(全面戰)이 수시로 벌어지는 전쟁터로 종교분쟁이 언제 끝날지 아무도 모른다. 종교분쟁으로 인해 또 다른 갈등을 유발할 가능성이 매우 크다.

유대인은 노벨상을 휩쓰는 민족, 세계 경제를 쥐락펴락하는 힘이 있는 민족, 세계 최강국 미국에서 상류층을 형성하고 있는 민족, 이외에도 부지기수의 부러운 수식어가 붙는 민족이다. 하지만 그들은 종교분쟁의 직접적인 뇌관 역할을 하는 안전하지 못한 불안한 민족이다.

대한민국은 한 가족 안에도 다양한 종교(宗敎)가 존재하는 나라이다. '할머니 할아버지는 절에 다니시고, 어머니 아버지는 교회에, 형은 성당에, 무교인 동생은 세 군데 모두 따라다닌다. 우리나라 가정에서 일어날 수 있는 상황으로 대부분 크게 문제

되지 않는다. 우리나라는 다양한 종교가 공존하며 종교인의 비율이 매우 높음에도 종교로 인한 분쟁이 없다.

간혹 역사적으로 백성을 지배하고자 하는 이기심에 사로잡힌 정치세력에 의해 종교가 수난을 겪은 일이 있었다. 특히 조선 후기의 천주교 박해 및 기독교에 대한 탄압이 이루어졌다. 기득권 세력은 종교를 통한 '서양의 침입'과 종교 영향으로 인한 백성들의 '깨우침'을 매우 두려워하였다. 종교 자체에 대한 박해나 종교분쟁은 아니었다.

종교는 인류가 시작된 이래 정치·경제·사상·예술·과학 등 사회의 전 영역에 깊이 관련되어있는 절대적이며 궁극적인 가치 체계이다. 우리 생활과 매우 밀접한 관계이기에 종교의 역사가 깊다는 것은 그 민족의 역사가 길다는 증거이다. 우리 민족에게 종교의 시작은 서양의 종교를 훨씬 앞선다.

위키백과에 의하면 '그리스도교에서 쓰이는 의미(意味)로서의 '하느님'은 19세기에 나타난 것이지만, 어휘 자체와 그것이 지칭하는 하늘님의 의미는 오래전부터 있었다. 또한 하늘님은 기독교의 신에게만 해당되는 표현이 아니라, 환인이나 천주, 상제를 비롯한 전통적인 신에게도 해당되는 표현이다'라고 서술하였다.

한국사상문화학회(2019)는 우주 창조의 이치를 단 81자로 풀이하고 있는 우리 민족의 고유사상인 천부경(天符經)의 연구에서, '천부경에는 세계철학의 종원(宗源)이 들어 있으며 불교, 도교 등은 천부경에서 근원적 철학과 문화를 수용하였다'라고 발표했다.

우리나라는 고대부터 종교에 대한 깊은 이해가 있었기에 다른 사람이 믿는 종교에 대한 편견과 적대심이 없다. 대한민국은 종교분쟁이 없는 국가이며 종교적 사상으로 열린 마음과 더불어 사는 마음으로 닦여진 품성을 가졌다.

"한낮에도 도심 속의 지하철 타기 두렵고 총기 사고가 끊기지 않는 안전하지 못한 미국", "늦은 밤과 새벽에도 시내를 마음껏 활보하고 커피숍에서 아이패드를 두고 화장실을 마음 편히 다녀올 수 있는 안전한 대한민국"

안전한 국가는 모든 나라, 모든 국민이 인간의 기본권과 관련하여 만들어가고자 하는 모습이다. 그러나 현실적으로 실천이 어렵다. 세계 초강대국 미국에서는 총기로 인한 사고가 빈번하며, 인종 간의 갈등, 종교로 인한 갈등, 빈부 갈등 등으로 폭탄 등의 테러가 발생하며 시민의 안전을 담보하지 못하고 있다.

유럽의 국가들은 스포츠 경기에서 조차도 안전하지 못한 현실이다. 축구 경기 등에서 스포츠맨십을 던져버리고 난동을 부리는 극성팬, 훌리건(Hooligan)이 있다. 응원하는 팀이 지면 화가 나서 난동을 피우고, 응원하는 팀이 이기면 상대 팀 팬들을 조롱하며 싸움을 일으킨다. 즉 승패 관계없이 무조건 싸우니 선량한 팬들에게 안전한 경기 관전을 확보할 수 없다. 선량한(?) 관중 중에도 경기에 참여한 선수가 유색 인종이라고 구별 지으며 눈을 찢는 인종차별적인 행동을 서슴지 않는다. 2022/2023년 시즌의 영국 프리미어리그 득점왕에 오르던 시절의 손흥민 선수도 예외 없이 수모를 당하곤

하였으며 현재 진행형이다. 반면에 대한민국은 미국, 유럽을 비롯한 여타의 국가들과 안전에서 차별화된 국가이다.

2018년 평창 올림픽을 비롯한 그동안의 세계적인 행사에서 외신 기자 및 행사 관계자 등으로 직접적으로 행사에 참여한 외국인, 그리고 TV를 지켜본 수십억의 외국인들은 대한민국의 치안(治安)에 놀라움을 표했다 한다. 수많은 군중, 다양한 국가가 모여 대회를 치르는데 총을 든 군인과 투구를 쓴 경찰은 보이지 않고 원활한 통행을 돕는 교통을 정리하는 경찰만 보일 뿐이었다. 우리 대한민국은 모든 국민 스스로가 자발적으로 자치(自治)하는 안전한 나라이다.

지하철(전철)역에 탑승을 준비하는 승객들의 안전을 위해 스크린도어를 설치한 유일한 국가, 시민의 안전을 위해 민관이 협력하여 끊임없이 함께 노력하는 나라이다. 대한민국을 제외하고 늦은 밤에도 자녀를 24시 편의점으로 심부름 보낼 수 있는 부모가 존재할 수 있는 국가를 찾아볼 수 있을까?

'매슬로우의 욕구 이론'에서 욕구의 하위 단계가 확보가 안 된 상태에서 더 높은 상태로 향상할 수 없다고 했다. 안전이라는 생존의 욕구가 충족되어야 상위 욕구에 대한 갈망으로 더 높은 고도의 문명이 꽃을 피울 수 있다.

안전에 대한 우리의 숙제는 남과 북이 갈라진 것이다. 남북의 분단은 종교가 아닌 이념에 의한 것이요 우리의 의사가 아닌 강대국의 강제로 인함이다. 우리는 종교분쟁이 없는 나라, 안전한 나라이기에 이념의 갈등도 충분히 스스로 치유할 수 있다.

Insight · 통찰(洞察) (3)

유태인은 '나만' 사랑한다, 우리는 '너도' 사랑한다
-유태인은 훌륭하지만 대한민국은 위대하다-

우리나라 교육에서 유대인의 예를 많이 인용한다. 이 책에서도 유대인의 교육법이나 삶에 대한 태도를 자주 인용했다. 훌륭한 사람은 타인의 훌륭한 점을 열린 마음으로 배우는 겸손함이 필요하다. 우리 민족의 훌륭함이 수백 년간의 공부문맹으로 인해 잊혀졌기에 유대인의 모습을 통해 우리의 DNA를 다시 일깨우고자 함이다. 하지만 배울 점과 배우지 말아야 할 점의 옥석(玉石)을 구별 짓는 통찰(洞察)의 힘이 필요하다.

우선 우리나라가 벤치마킹해야 할 점이 참으로 많다. 가족과 저녁을 같이 먹는 민족, 토론하는 문화가 발달 된 민족, 질문·토론하는 법을 가르치는 민족, 세계적으로 내로라하는 경제인·예술인·지식인 등이 다양한 분야에 포진해 있는 민족. 2021년 기준 이스라엘 인구 934만 명을 포함하여 1,520만 명 밖에 안되지만 세계적으로 실세(實勢)인 민족이다.

배우지 말아야 할 점은 자신의 동족만을 위하는 이기주의 성향이다. 유대인만 구원받았다는 종교적 출발부터 자기 민족만을 위한다는 인상이 매우 강한 민족이다. 훌륭함이 많지만, 세계로부터 존경받는 민족은 아니다. 마지막 순간에는 언제나 자신들의 이익이 우선되기 때문이다. 동족의 경제적 이득을 위해서 마카오, 라스베가스 등에 도박장을 건설하는 등 수단과 방법을 가리지 않고 돈을 버는 민족이라는 인상이 강하다. 자신의 국토가 없던 이스라엘은 권한을 가진 강대국과의 협상으로 '아르헨티나 영토'의 일부에 국가 건설이 암암리에 진행되었다 한다. 하지만 끝까지 고집을 부려 분쟁이 발발할 것을 충분히 알면서도 이스라엘의 땅을 현재의 위치로 밀고 들어간 것이다. 살고 있던 원주민을 죽이고 그들의 삶의 터전에서 쫓아냈으며 주변국과 전쟁으로 차지한 땅을 점령 후 철수하지 않는 민족이다. 종전(終戰) 후 점령한 타국의 영토에서 철수가 국제법임에도 말이다.

전체 노벨상 수상자의 23%를 차지하는 유대인은 기부 입학생 포함하여 미국 아이비리그의 약 30퍼센트이며, 미국 부의 20%를 차지할 정도로 부자가 많은 민족이지만 인류공영(人類共榮)에는 인색하다. 자신들의 이익에 한 해 인류에 보탬을 주기도 한다. 그들은 철저히 자기들만 사랑한다.

대한민국은 국경과 민족을 뛰어넘는 전(全)인류적 사고방식의 국가이다. 터키가 우리를 고대부터 '형제의 나라'라고 역사 교과서에 표기하고 가르치듯이 유럽과 아시아 전역, 태평양 건너 아메리카 대륙 등 모든 국가와 평화적이며 상생의 교류를 해온 역사적 사실들이 있다. 철저히 왜곡된 역사로 그 사실을 숨겨왔지만, 손바닥으로 하늘을 가릴 수 없듯이 과학·학문의 발달로 유물을 검증하며 외국의 역사 기록을 통해 거짓된 역사가 밝혀지고 있다. 우리 민족은 세상의 피를 돌게 하는 허브 역할을 한 것이다. 평화와 화합의 DNA가 있는 민족이다.

영국, 프랑스, 독일 등 유럽 국가와 미국, 러시아, 일본 등의 국가가 산업화가 좀 더 일찍 된 것을 자랑(?)삼아 힘 약한 곳에 가서 '이제부터 여기는 우리 땅이다'라고 선포하며 식민지를 경쟁적으로 차지했다. 그 과정에서 수만은 살상과 수탈이 자행되었다. 미국은 1억 명 가까운 인디언들을 살해했다고 한다. 일본의 만행은 아시아 전역에 걸쳐 자행되었고 우리는 그 피해를 온전히 받았다.

자신들의 이익을 위해서는 타민족의 침탈은 정당한 것이고 이기심으로 눈이 먼 국가 간의 협상으로 남의 나라 땅을 놓고 '이 땅은 내 것, 저 땅은 너희 것'으로 나눠 가진 것을 그들도 알고, 역사도 알고 있다. 그들은 과거의 습성에 의해 지금도 철저히 영토에 욕심을 부리고 있다. 지금도 유대인처럼 자국의 이익에만 눈이 멀어 수단과 방법을 가리지 않고 타국의 침탈을 계속하고 있다.

국민 1인당 연(年) 소득 3만 불 이상 & 총인구 5천만 명 이상 조건인 '30-50클럽'이 전 세계 국가 중 7개 나라가 있다. 미국, 영국, 일본, 이탈리아, 독일, 프랑스, 대한민국이다. 7개국 중, 타국을 침략한 제국주의가 아닌 유일한 국가가 대한민국이다.

우리 민족은 과거의 유구한 역사 속에서 부자 국가, 강한 국가였을 때에도 타인을 침탈하며 짓밟는 행위를 하지 않은 민족이다. 모두를 포용하고 함께 행복하기를 희망하는 민족성이 우리를 수난의 시대로 몰기도 했지만, 지금의 열린 세상을 미리 앞당겨 생활한 선도적인 민족이다.

메타버스의 가상 현실, 인터넷 통신, 문화의 실시간 공유 등으로 영토 개념과 국가와 민족의 개념이 사라지고 있다. 우리 민족의 장점으로 세상을 더 밝게 만들 기회이다.

제1장

공부란 무엇인가?

들어가는 글

인문학(人文學)의 가장 중요한 질문은 세 가지이다.

'나는 누구인가(Who am I)?'
'어떻게 창의적으로 살 것인가(How to live creativity)?'
'어떻게 우아하게 죽을 것인가(How to die gracefully)?'

인문학은 '나는 누구인가'를 찾는 학문이다. '나는 누구인가'에서 나의 존재(Being)를 알아야 '어떻게 살고 어떻게 죽을 것인가'의 방법인 How와 Doing을 선택할 수 있다.

보통 '학문(學文)의 대표격인 인문학(人文學)을 탐구하는 것을 학문(學問)한다, 공부한다'라고 정의할 수 있다.
이에 공부는 인문학의 세 가지 질문에 대한 답을 전 생애 동안 찾아가는 것이 아닐까 한다.

'나는 누구이며, 어떻게 창의적으로 살고,
어떻게 우아하게 죽을 것인가?'

그러나 '공부란 무엇인가?'에 대한 질문(質問)이 끝나지 않는다.

■ 나는 누구인가?

공부는 '나는 누구인가'를 알아가는 것이다

공부는 '나는 누구인가를 찾는 역량을 키우는 것'이다

공부는 인간의 삶을 더 행복하게 하는 것이다

배움과 익힘만이 공부는 아니다

공부만을 '공부'로 불러야 한다

유학(儒學)은 공부문맹을 만들었다

공부가 무엇인지 고민조차 하지 않는다

시험만이 공부가 되었다

금융문맹률 90%, 공부문맹률 99.9%

막대한 돈이 시험이 목적인 교육에 낭비되고 있다

공부는 '나는 누구인가' 를 알아가는 것이다

공부라는 용어는 언제, 무슨 의미로 탄생했는지 동·서양의 문헌을 거슬러 올라가서 찾는 것은 의미가 없다고 본다. 언제 어떤 의미로 생겼는지보다는 공부라는 용어를 사용하는 '지금', '공부라는 것을 왜 하는가?'에 대한 답이 공부의 정의이자 당위성이라고 생각할 수 있다.

공부란 무엇인가? 공부의 목적은 무엇인가? 공부를 왜 하는가? 이 외에도 다양한 질문이 뒤따라야 공통분모로서의 공부와 개개인이 생각하는 공부의 상(像)이 세워질 수 있다. 그것이 전제될 때 다른 민족보다도 후세대의 행복한 삶에 깊은 사랑이 있기에 교육열이 월등하게 높은 대한민국이 올바른 방향의 공부를 할 수 있을 것이다.

공부란 무엇인가?
공부를 왜 하는가?
잘 먹고, 잘 살기 위해서?
성공하기 위해서?
잘 먹고, 잘 사는 것은 무엇인가?
진정한 성공이란 무엇인가?

공부 잘한다=학교 성적 우수?

학교 성적은 잘 먹고, 잘 사는 조건인가?
학교 성적은 인생의 성공 조건인가?
학교의 우등생은 사회의 열등생이 된다고 한다. 왜일까?

망망대해 혹은 사막에서, 혹은 길을 잃었을 때 북극성을 바라보며 방향을 잡는 것처럼 인생에서의 공부 목적을 살펴야 할 것이다. 그래야 공부를 위한 공부보다는 현재의 삶보다 나은 방향을 위한 행위가 될 수 있다.

인문학(人文學)을 흔히 문사철(문학, 역사, 철학)이라 부르며 인문학에서 가장 중요한 질문은 세 가지라고 한다.

'나는 누구인가(Who am I)?'
'어떻게 창의적으로 살 것인가(How to live creativity)?'
'어떻게 우아하게 죽을 것인가(How to die gracefully)?'

두 번째, 세 번째 질문은 첫 번째 질문에 대한 답에 의해서 How가 결정될 것이다. 그러므로 인문학에서 가장 중요한 질문(質問)은 '나는 누구인가?'이다.

인간의 문명이 시작된 이래 가장 많이 품고 있는 질문이다. 인간을 만물의 영장이라고 할 수 있는 것은 자신에 대해 알아가고자 하는 욕구가 있기 때문이다. 동물과 다름은 동물은 생존을 위해 머무르고 있지만 인간은 더 나음을 추구한다는 차이다. 인간(人間)은 부지불식간에 이 질문을 하며 살고 있다.

질문에 대한 답(答)을 구하려고 문학, 역사, 철학이라는 인문학을 만들어가고 그것을 통해 배워가는 것이다. 인문학은 학문(學問)으로 '묻는 것을 배우는 것'이요, '배워서 묻는 것'을 통해 '나는 누구인가?'에 대한 답(答)을 찾아가는 것이다. 인문학을 한다는 것은 공부하는 것이며 공부는 나를 찾아가는 과정이고, 공부는 나를 찾아가는 것을 돕는 것이다.

세상을 살아가는 출발점의 위치를 '국영수 시험 성적'으로 결정하고 있기에 우리는 지금 '나는 누구인가'에 대한 질문을 멈춘 상태이다. 나를 찾아가고자 하는 욕구가 멈춰있고, 'How'로 바로 진입한 것이다. '나는 어디에서 와서 어디로 가는가'의 질문이 없이 산다는 것은 '차에 올라타자마자 방향을 정하지 않고 엑설레이터를 밟으며 고속도로를 질주하는 것'과 같다. 열심히 달리다 보니 왜 가는지도 모르고, 한참을 달리다 생각해보니 '아주 드물게' 자신이 잘못된 방향, 원하지 않는 방향으로 질주하고 있음을 깨닫기도 한다.

먼저 '나는 누구인가'를 찾아가며 뒤따라와야 할 'How'이다. 첫 질문 없이 선택한 How는 위험하다. 자신이 원하는 How가 아닐 수 있다. 그런데 학교는 How에만 집중해 있으니, 대학 가기 위한 준비(準備)과정으로만 여겨지는 초중고(初中高)에서의 공부, 대학에서의 공부는 온통 How에 대한 공부일 뿐이다.

인문학은 대학 교육의 근간을 이루는 기초학문이다. 그러나 취업이 어렵다거나 기술적이지 않다는 등의 이유로 인문학을 경시하는 풍조가 생겨났다. 학생들은 전공하기를 꺼리고, 정부와 대학은 인문학과의 축소를 원한다고 한다. 학교 교육은 '나는 누구인가'라는 질문이 없이 살아가는 인간을 육성하고 있는 것이다. 학교는 학생들이 '나는 누구인가?'의 질문을 하게끔 도와주고, 그것에 대한 해답을 계속해서 찾아갈 수 있는 동기를 유발해 주는 곳이 되어야 한다.

'나는 누구인가'의 질문처럼, '학교 교육은 왜 필요한가?', '교육은 무엇을 어떻게 해야 하는가?', '공부는 무엇인가?','공부는 무엇을 어떻게 해야 하는가?'에 대한 질문이 끊임없어야 한다.

그래야 공부는 '나를 찾아가는 과정'임을 알게 해준다. 올바른 방향을 바라보며 나아가는 삶을 살 수 있게 해주는 공부를 해야 한다. 그래야 행복한 삶을 살 수 있다. 공부는 행복하기 위해 하는 것이다.

공부는 '나는 누구인가를 찾는 역량을 키우는 것' 이다

OECD(경제협력개발기구)는 21세기 사회에서 개인의 성공적인 삶과 사회의 발전에 요구되는 생애핵심역량을 규명하기 위한 DeSeCo(Definition and Selection of Competencies)프로젝트를 1997년부터 2003년까지 진행하였다. 7년간 추진한 결과 OECD에서 2003년에 '핵심역량(核心力量)' 3가지를 발표했다.

첫째, 지적 도구 활용 능력이다.

미국 캘로그 재단에 의하면 2050년에는 지구상의 지식과 정보의 양이 2배 되는데 70여 일 밖에 걸리지 아니한다고 한다. 2G, 3G, 4G, 5G를 넘어 6G를 향해 가는 속도가 점점 가속되고 있다. 인공지능과 챗GPT로 인해 지식과 정보의 양이 2배 되는 기간이 더 단축될 가능성이 매우 높다. 지식과 정보를 상황에 적합하게 상호작용적·융복합적으로 활용하는 능력의 발전 덕분이다. 학교에서의 우등생이 사회에서의 우등생이 되려면 지적 도구 활용 능력이 뛰어나야 할 것이다. 과거 대한민국에서는 학교에서의 우등생이 사회에서의 열등생이라는 아이러니가 존재했다. 학교에서만의 시험 성적 우등생이 사회를 이끌어가며 공부는 무엇인가에 대한 답이 엉뚱하게 변하고 있다. 지적 도구 활용 능력이 낮음으로 생긴 일이다.

둘째, 사회적 상호작용 능력이다.

거대한 이질집단의 바다로 이루어진 사회에서 사람들과 좋은 관계를 맺는 능력, 협동할 수 있는 능력, 갈등을 관리하고 해결하는 능력 등이다. 학교라는 교육공동체에 학생을 보내는 것은 바로 상호작용 능력을 키우기 위함이다. 우리는 나보다 지혜롭기에 개인의 능력보다는 집단지성의 힘이 훨씬 강하다. 식구가 함께하는 '가(家)전제품'이 개인의 소유를 의미하기에 가(家)에서 개(個), 즉 '개(個)전제품'으로 바뀌고 스마트폰으로 인해 개인(個人)의 생활이 많아졌기에 역설적으로 소통의 필요성과 중요성이 더욱 높아졌다. 국영수 시험 1등급을 목표로 하는 학교는 사회적 상호작용의 능력 신장에 매우 소홀하다.

셋째, 자율적 행동 능력이다.

자율성과 정체성에 바탕을 두고 자기를 스스로 관리하는 능력이다. 자기를 먼저 이끄는 사람으로 비전관리, 시간관리, 학습관리, 건강관리, 습관관리 등을 삶에서 주도적으로 해나가는 능력이다. 지적 도구 활용 능력과 사회적 상호작용 능력은 세 번째 핵심역량인 자기 주도적인 자율적 행동 능력이 있을 때 더욱 큰 힘을 발휘할 수 있는 근본 역량이라고 말할 수 있다. 남이 낸 문제를 푸는 습관은 문제 해결력을 지워버렸다. 취직해서도 과외가 필요한 것은 스스로 문고리를 잡는 공부를 안 했기 때문이다. 시험은 남의 지시에 익숙하게 했다. 자기 스스로 하는 생각하는 능력의 실종은 주인 된 삶에서 멀어지게 한다.

3가지 핵심역량을 좀 더 풀어서 이야기하면, 알고 있는 지식을 활용하는 능력, 사람들과 좋은 관계를 맺는 능력, 자기를 스스로 관리하는 능력이다.

우리나라는 널리 세상을 이롭게 한다는 홍익인간의 이념 아래, 모든 교육기관에서 지덕체(智德體)를 교육목표로 삼고 있다. 교육기관뿐 아니라 인간의 삶 자체를 전인의 삶을 위한 전인교육이 역사에 뿌리 깊이 내린 우리 민족의 목표이다. '지(智)=알고 있는 지식을 활용하는 능력, 덕(德)=사람들과 좋은 관계를 맺는 능력, 체(體)=자기를 스스로 관리하는 능력'이라 할 수 있다.

대한민국은 OECD에서 7년간 연구한 결과물을 이미 실천해 오고 있다. '핵심역량'이 무엇이며 왜 키워야 하는지를 유구한 역사 속에서 알고 실천해 오고 있었다. 그것이 바로 '공부의 정의'이며 '공부의 목적'이라 할 수 있다. 국영수 시험 1등급을 만드는 것이 공부의 목적이 아니다.

공부란 무엇인가?에 대한 끊임없는 질문 속에서 공부는 '나는 누구인가'를 찾아낼 수 있는 핵심역량을 키우는 행위라고 말 할 수도 있다. 핵심역량이란 무엇인가? '지(智)=알고 있는 지식을 활용하는 능력, 덕(德)=사람들과 좋은 관계를 맺는 능력, 체(體)=자기를 스스로 관리하는 능력'이다.

그러므로 공부는 '나는 누구인가를 알아가는 핵심역량을 키우기 위해 하는 행위'인 것이다.

국영수 시험 1등급이 공부의 충분조건이 될 수 없다.

공부는 인간의 삶을 더 행복하게 하는 것이다

'공부'는 미래를 위해 고진감래의 정신으로 버티며 견뎌내며 할 수 없이 해야 하는 것이 아닌, '공부'는 보다 나은 미래를 생각하며 행복한 마음으로 호기심, 흥미로움으로 즐겁고 기꺼이 해나가는 것이 되어야 한다. 그것에는 우주 만물의 이치를 깨닫는 것도 있을 수 있고, 개인이 좋아하고 잘하는 것을 찾아서 즐거운 삶을 살아가게 할 수도 있는 것이다.

공부를 열심히 하는 사람이 행복한 사람이 되어야 한다. 공부를 통해 자신이 잘하는 것, 자신이 좋아하는 것을 끊임없이 탐구한다면 매 순간 행복할 수 있다. 현재의 행복은 미래에 대한 기대감으로도 행복해지는 것이다.

행복의 크기를 비교한다는 것 자체가 무의미하지만, 상대적 개념으로 굳이 표현한다면 1학년보다는 2학년에, 초등학생 시절보다는 중고등학교 때에, 학생 시절보다는 성인일 때 더 행복해지려면 언제나 삶 속에서 '자신이 잘하는 것, 좋아하는 것'을 찾아내야 한다. 찾아내고 있는 현재도 덩달아 행복해지는 것이다. 그런데 어찌 공부가 재미가 없을 것인가?

학생 시절에 배우고 익히는 체덕지(體德智)와 성인이 되어서 배우는 체덕지(體德智)는 폭과 깊이가 다를 뿐이다.

국영수 시험 1등급이 행복의 충분조건이 될 수 없다.

배움과 익힘 만이 공부는 아니다

철학자 강신주는 학계에서 'philosophy·철학(哲學)'의 해석을 올바르게하지 못했다고 강하게 비판했다. 올바르지 못한 해석은 철학 자체에 대한 접근에 오류를 심어준다는 것이다.

철학(哲學)의 사전적 의미는 '인간이 살아가는 데 있어 중요한 인생관, 세계관 따위를 탐구하는 학문', '경험 등에서 얻어진 세계관이나 인생관'이다. 사전적 의미는 본래의 의미라기보다는 '지금' 사용하고 있는 의미에 가깝다.

학교에서 'philo(지혜) + sophy(사랑)', 즉 '지혜에 대한 사랑', '지혜를 사랑하는 것'으로 학생들이 배웠는데, 그의 주장은 '사랑하니까 지혜가 생긴다'로 바뀌어야 한다고 했다. 사전적 의미로 보더라도 보통 사람들이 어찌 '지혜'를 사랑하는 마음을 가진단 말인가, 어떤 분야에 대해 사랑하니까 더 잘 알아보려는 마음이 있기에 지혜가 생긴다고 한다. 말장난 같은 기분이 들지 모르지만, 곰곰이 생각해보면, 생업으로 입에 풀칠하며 사는 사람들이 어찌 '지혜'를 사랑할까 하는 의문이 생긴다. 자신이 경험하며 관심이 있는 분야를 열심히 사랑하다 보니 지혜가 생긴다는 것이 '철학'에 더 가까운 해석이다.

학문(學文)은 기록된 과거의 유산이고, 학문(學問)은 학문(學文)을 탐구하며 새로운 학문(學文)을 만들어 가는 행위로 같은 발음, 같은 글자이지만 엄연히 구별된다. 그런데 학문(學問)을 사전에서 찾아보면 '지식을 배워서 익힘'이라고 쓰여있고, 누구도 그 뜻에 '시비' 걸지 않고, 응당 '학문의 뜻은 지식을 배워서 익힌다는 것'으로 알고 있다.

'타인'이 '가르치는 지식을 배워서(학, 學) '자기가 이해할 정도로 익힌다(문, 問). '묻는다'라는 의미가 대표적인 의미인 문(問)을 '익힌다'라고 한 것이 이해가 안 되지만 지금은 논외로 한다. 이렇게 우리는 이해해 왔기에 '가르치는 타인'은 주로 학교와 학원 선생님이며 '지식'은 선생님이 가르치는 교과서 내용이고, '자기가 이해할 정도'를 하기 위해 복습 내지 미리 예습, 심지어 배우지도 않은 것을 쉽게 익히기 위해 선행학습을 한다. 결국 학문(學問)이 학습(배울學, 익힐習)으로 바뀌며 '배우고 익힌다'로 탈바꿈했다.

그리고 익힌 것을 확인하는 방법으로 시험을 본다. 어째 해석이 께름직하지 않은가? '물을 문(問)'이 '익힌다'로 바뀐 것이 너무도 해괴한 해석으로 '시험'을 탄생시켰다.

학문이 가진 본래 뜻의 곡해(曲解)는 끔찍한 일을 초래했다. '익힌다', 즉 익히기 위해 '반복반복'해서 암기한다. 천자문을 외우고, 사서삼경을 외우고, 예법을 외우며 얼마나 외웠는지 시험을 치르기에 '익힌다'는 '외운다'가 되었다. '익힌 것'을 확인하는 '시험'이 끔찍한 결과로 나타났다. 학문을 통해 통찰력과 창조적인 사고를 기대할 수 없고 지식의 울타리에 갇히게 만들고 말았다.

파자(破字)를 해보면 '학(學)+문(問)'은 '배워서 익히는 것'보다 '배워서(배우고) 묻는다' 혹은 '물어서 배운다, 혹은 묻는 것을 배운다'로 봐야 한다. 학문(學問)의 뜻을 조금이라도 숙고한 사람들은 '묻는 것을 배운다'라고 한다. 그렇다면 학교와 학원의 선생님들은 '시험을 통해 익힌 것을 확인하는 것'보다 '묻는 것을 가르쳐야 하는 것'이 아닐까?

'질문하는 교실'을 만들고자 했던 것은 학문의 뜻을 되돌리려는 목적이었나? 구호로만 그치고 그해에만 반짝했다가 사라진다는 것은 무엇을 뜻함일까? 이미 질문이 넘쳐나는 교실이 되었다는 것인가, 아니면 질문은 매우 중요한 것이기에 강조하지 않아도 된다는 것인가?

학문(學問)이 '배워서 익힌다'는 뜻으로 통용되는 사회, 학문(學問)이 학습(學習)의 시대가 오면서 공부문맹으로 몰아가는 서막으로 '시험'의 시대가 열린 것이다. 학문이란 '묻는 것을 배운다'가 아닌 '배우고 익히기 위해 외운 것'을 시험 보니, 다양성의 사회, 창조성의 사회는 동력을 잃고 공부의 뜻마저 '잊고' '잃어'버리는, 불행으로 달리는 사회가 되었다.

공부만을 '공부'로 불러야 한다

"어른들은 참 이상하다. 어느날 길동이가 '행복은 성적순이 아니잖아요.'라는 영화를 보고 나서 형에게 이야기했다. 행복은 성적순이 아니라는데 왜 어른들은 '성적'을 공부라 하지? 형도 늘 궁금했다. 학교 선배가 대학에 가서 시험 성적에 따라 장학금을 받을 때, 성적 우수 장학생이라 하지 공부 우수 장학생이라고 하지 않는다. 일하면서 받을 때는 근로장학생, 국가에서 학생 생활 수준에 의한 국가 장학금이라 하는데 말이다. 분명한 것은 공부와 성적은 같지 않다는 것이다."

우리는 모두가 이름이 있다. 이름을 소중하게 생각하기에 자녀가 태어나면 '의미를 품은 이름, 건강하게 오래 살 수 있는 이름, 행복하게 살 수 있는 이름'을 만들어 주고 싶어 한다. 부부의 이름 한 글자씩 따서 붙이는 사람도 있고, 작명소에 가서 돈을 주고 이름을 짓기도 한다.

이름을 부르면, 혹은 어떤 이름을 떠올리면 그 사람의 인성, 성격, 습관, 사회적 신뢰도 등을 떠올린다. 주변의 어떤 사람의 행위를 보면서, '저 사람은 흥부(놀부) 같은 사람이야'라고 한다고 가정해 보자. 우리의 두뇌에는 '흥부'하면 제비 다리도 고쳐주는 동물조차도 위할 줄 아는 따뜻한 사람으로 여기며 '놀부'는 욕심 많고 남에게 베풀 줄 모르는 파렴치한 사람이라는 이미지가 떠오르지 않는가?

조선왕조 5백 년을 '이조시대'라고 부르는 사람이 있다. 그 사람은 무심코 불렀지만, '이조시대'라고 부른 사람의 사회적 영향력이 크다면 그 사람으로 인해 많은 사람이 이(李)씨 성이 주류였던 조선으로 '이조시대'라고 부르게 될 수도 있다. 그렇게 된다면 찬란한 문화인 한글, 조선왕조실록 등이 한 국가가 아닌 씨족사회의 문화유산으로 전락하게 되는 것이다.

'놀부'라는 단어가 떠오르게 하는 파렴치한 느낌처럼 '공부'가 사람들을 곤란하게 만들고 불행하게 만들기 위해 지어진 이름은 아니다. '공부'라는 것으로 무엇을 가르치고 배우려 했는지는 수많은 경우의 수가 있기에 구체적인 것을 말할 수는 없다. 하지만 인간이 인간다운 삶을 유지하며 문명의 발전에 목적이 있었을 것은 누구나 이견이 없으리라 본다. 그러므로 인간에게 이로움을 주려고 명명된 '공부'가 우리를 피폐하게 할 리가 없지 아니한가?

'공부'는 인간의 삶을 보다 나은 방향으로 이끌기 위해 하는 것이라고 할 수 있다. 인간의 삶에 '국영수 지식'이 필요할 수 있지만, '시험 보기 위한, 교과목으로서의 국영수'가 모든 사람에게 꼭 필요하지는 않을 것이다. 나의 삶에 '지덕체'가 필요하지만, '시험 보기 위한 지덕체'가 모든 사람에게 필요한 것은 아니다. 공부만을 '공부'로 불러야하는 이유이다.

유학(儒學)은 공부문맹을 만들었다

"공자가 살아야 나라가 산다(1999, 최병철 저(著))"
"공자가 죽어야 나라가 산다(2001, 김경일 저(著))"

(본 저자는 학문(學文)으로서 종교 경지에 도달할 정도로 뛰어난 유학을 사회생활에 어떻게 활용하는가가 중요한 논제이지 공자의 생사(生死)가 우리의 삶을 좌지우지하는 것은 아님을 이야기한다.)

조선시대 통치이념으로 도입한 유학(儒學)이 유교(儒敎)로 불리게 된 것이 언제인지 모르는 사이에 우리는 유학(儒學)을 유교(儒敎)로 명명하였다. 유학(儒學)과 유교(儒敎), 두 단어의 차이는 하늘과 땅이다.

결론부터 말하자면 유교(儒敎)는 종교(宗敎)이고, 유학(儒學)은 학문(學文)이다. 종교의 교리는 절대 불변이며 그 종교의 교리를 따르지 않거나 해석이 다르면 분파의 과정을 거쳐 새로운 종교 등이 대두된다. 구약을 믿는 유대교와 신약을 믿는 개신교가 그 예이다.

학문(學文)과 학문(學問)의 행위는 변한다. 변화가 쉽다고는 할 수 없지만, 다양성과 변화에 대해 종교보다는 훨씬 관대하다. 코페르니쿠스에 의해 천동설이 지동설로 바뀌거나 역사를 서술

하는 방법이 바뀌거나 주장하는 자(者)와 시대 상황에 따라 혹은 밝혀진 바에 따라 변할 수 있다. 상대성 이론이 양자 역학 이론에 의해서 모순점이 발견되기도 하지만, 여전히 상대성 이론은 유효할 수 있고, 빅뱅의 우주 탄생 연도가 129억 5천만 년 전이었던 것이 138억 년 전으로 바뀌었다. 탐구하는 학문(學問)을 통해 학문(學文)은 변화에 수용적이다. 그렇지만 종교는 이야기가 달라진다.

지금으로부터 2,700년 전인 기원전 500여 년에 만들어진 공자의 유학이 유교로 된 것은 공자로서도 매우 유감스러운 일이다. 공자는 사후 세계에 대해 궁금함을 묻는 제자에게 '지금의 현세도 알 수 없거늘 어찌 죽은 뒤의 세상을 알겠는가?' 라고 답했다 한다. 공자는 유학을 종교로 창시한 것이 아니다. 종교가 성립하려면 내세관이 있어야 하는 데 유학에는 없다. 공자는 유학을 만든 학자인 유학자(儒學者)이지 종교를 만든 유교(儒敎)의 교주(敎主)가 아니다.

공자의 유학이 만들어진 지 1,700여 년 후에 주자는 '논어, 맹자, 대학, 중용'에 해석을 달았다. 그것이 주자학이자 성리학이다. 공자의 제자들이 공자의 말을 옮겨 놓은 논어(論語), 맹자의 말을 옮겨 놓은 맹자(孟子), 예기(禮記)에서 가져온 대학과 중용에 대해 주자가 해석한 학문이다.

그러므로 주자학은 공자의 유학을 해석한 학문이라고 할 수 있다. 종교(宗敎)도 아닌 학문(學問)으로서의 주자학은 조선시대 철학을 넘어선 지존의 위치에 있었다. 주자(주희)가 정리한 주자학을 신봉한 조선의 유림(儒林)들은 주자학에 위배 되는 주장을 하는 자(者)를 '교리'를 어지럽히고 사상에 어긋나는 언행을 하는 사람인 사문난적(斯文亂賊)으로 몰아 죽이기까지 했다. 이제 유학(儒學)이 '교리'로서 변하며 공자는 신의 존재가 되며 유교(儒敎)가 종교로서 지위를 차지하게 된 것이다. 학문(學文)이 종교로 승격된 것이다.

용어(用語)가 학문에서 종교로 승격되며 조선은 주자학을 외워야 했고, 외워서 익힌 것을 시험으로 확인했다. 주자학의 예법을 아침부터 저녁까지, 태어나서 죽을 때까지 실천하는 사회는 삶 자체가 맞고 틀림의 시험이다. '예법 시험'을 통해서 학문(學問)이 높은 사람, 즉 공부 잘하는 사람으로 명명하는 '공부문맹' 사회가 되었다.

조선시대 500년 역사에서 300여 년간 지배한 노론은 주자학을 내세워 학문(學問)을 학습(學習)으로, 학습(學習)한 걸 시험(試驗)으로 확인했다. 집단적 이기심은 학문(學問)을 시험(試驗)으로 공부문맹화하며 나라를 일본에 팔아넘기는 결정적인 공(?)을 세우는 역할을 했다.

주자학을 무조건 외우는 것을 최고의 학문이요 공부라 칭했던 세월이 수백 년이 흐르면서 학문은 '묻는 것을 배운다'는 본래 의미가 사라지고 '배워서 익힌다'로 국어사전에 표기되기에 이른 것이다. 의도된 잘못된 용어의 사용과 정의는 공부(학문)를 시험으로 바꾸었고, 의도되거나 의도되지 않게 잘못 사용하는 용어는 삶의 왜곡과 역사 왜곡의 시작이다.

공부가 무엇인지 고민조차 하지 않는다

우리나라에서 학생이 가장 많이 듣는 말을 고른다면, 단연 1등이 '공부', 특히 '공부해라'이다. 반대로 부모는 가장 많이 하는 말이 '공부해라'이다.

대한민국의 학생과 부모는 공부가 무엇인지 알고 있을까?

교육전문가, 사회의 지도층 인사들도 과연 공부가 무엇인지 알고 있으며 그것에 관련된 교육 정책을 펼치고 있을까?

사람들은 삶을 생존하기 위해서, 더 나은 생존을 위해서 언제나, 매일매일 공부하고 있다. 몰랐던 스마트폰 앱의 사용 방법을 배우고, 몰랐던 지식을 학교에서 배우고, 궁금했던 자연의 이치를 깨닫게 되고, 몰랐던 농작물의 생산 방법, 저장 방법을 알아가고, 몰랐던 언어를 배워서 서로가 소통하고, 익숙하지 않았던 지식을 습득하고, 생각하지 못했던 일에 대해 궁금증과 호기심이 생기고, 가족과 지내는 방법, 주변 친구들과 혹은 생면부지의 사람들과 지내는 방법을 연구하고 배우고 가르치고, 자기 몸과 세상과 소통하는 방법, 자기는 어떤 존재인가에 대한 생각......, 생존 자체, 인간의 삶 자체가 공부이다. 특히 성인이 되기 전의 학생들은 독립된 생존을 위해 어른들보다 삶의 공부가 더욱 필요하다. 물론 성인이 되어서도 계속되는 삶을 살아가기 위해서 지속적인 공부를 하는 것이다.

이토록 매일매일 매 순간 공부를 열심히 하고 있는데도 '공부, 공부', '공부해라, 공부해라' 하고 있다. 심지어 공부를 안 하고 있다고 혼을 낸다. 이토록 공부에 집착하는 이유는 '시험'이 공부 중에 차지하는 비중이 지극히 낮은 것임에도 '시험 잘봐 좋은 성적을 얻기 위해 하는 것'이 공부의 전부로 착각을 하기 때문이다.

과수원 농사(農事)를 예로 들어보자. 과수원의 나무에서 과일을 따는 일, 그것만을 농사라고 할 수 있는가? 과수원을 만들기 위해 땅을 개간하고, 묘목을 심고, 잡초를 뽑아주며, 가지치기, 순지르기, 퇴비와 비료를 뿌리고, 병충해의 방지를 위해 갖가지 조치를 하고, 수확하고, 수확한 것을 분류하고, 저장하고, 판매하고, 내년도 과수원 운영을 준비하는 등 과수원에서 일어나는 모든 것을 과수원 농사(農事)라고 한다. 농사(農事)를 잘 짓고 못 짓고는 농사에서 이루어지는 전 과정을 살펴서 이야기해야 한다.

공부도 인생에서 이루어지는 전 과정인데 언제부터인가 은연중에 '시험'만을 공부라고 한다. 학생과 우리의 마음 밑바탕에 '공부'는 '시험 잘 보기 위해 하는 것', '국영수 시험, 대학입시 및 입사 시험, 승진 시험 잘 보기 위해 하는 것'이라는 생각이 뿌리 깊이 자리 잡고 있었다.

온통 '시험'으로 가득 찬 세상이기에 학생뿐 아니라 성인이 되어서도 '경쟁'을 넘어서 '전쟁'처럼 시험을 마주치고 있다. '시험 전쟁' 같은 시대적 상황의 심화로 더욱더 많이 사용하는 '공부'라는 용어에 대한 관심, '공부란 무엇인가'에 대한 관심은 논외(論外)가 되었다.

공부가 '시험 잘 보기 위해 하는 것'으로 인식된 것은 인간의 보편적인 심리로 볼 때 '평소 무심코 사용하는 용어'에 대해 주의 깊은 관심을 기울이지 않는다는 것이다. 왜 그런 용어로 불리는지에 대해 호기심이 사라지는 것이다. 그것이 그리 문제가 될 일도 아닌 경우가 많다.

예를 들면 드나드는 곳을 '문'이라고 이름을 붙였다고 생각해보자. 사람들에게 불리는 것이 보편화되면 '왜, 문이라고 부르게 되었을까?' 하는 궁금증과 호기심이 없어져도 문제 될 것이 없다. 더 나아가 잘못 알고 있거나 알고 있는 것을 올바르게 표현하지 않아도 아무런 문제가 생기지 않는다.

보통의 사람들이 코페르니쿠스 이전에 지구가 태양을 중심으로 자전과 공전을 하는데, 그 반대로 알고 있었어도 세상 사는 데 지장이 없었다. 심지어는 이제 지구가 태양 주위를 돌고 있음을 보통의 사람들이 알고 있으면서도 '해가 뜬다, 해가 진다'해도 아무런 지장이 없다.

그 이유는 보통의 사람들이 보통의 경우에 '문'에 대해서 호기심과 궁금증이 없어도, 태양을 중심으로 지구가 도는 것을 알면서도 '해가 뜬다'라고 해도 우리에게 곤란을 일으키거나 피해를 주지 않기 때문이다.

공부도 그런 존재라면 문제가 되지 않는다.

북위 33~37도, 동경 125~131도에 위치한 대한민국은 전 국민이 '공부'라는 말로 하루를 열고 하루를 닫는다. 밥 먹는 것 잠자는 것, 건강 돌보는 것, 돈 버는 것 중 그 어떤 것도 '공부'보다 중요하지 않다. 이 이야기에 거부감이 드는 사람이 많기를 진정으로 기원하지만 그렇지 못한 것이 우리의 현실이다.

집에서, 학교에서, 학원에서, 드라마에서, 서점에서, 부모님 모임에서, 매스미디어 등에서 단 하루도 빠짐없이 '공부'가 등장한다. '공부'라는 말이 '안녕하세요~' '행복하세요~' '건강하세요~' '멋지세요~'등의 칭찬, 격려의 말이라면 엄청나게 넘쳐나도 아무런 부작용이 없다. 오히려 그런 세상이 우리가 꿈꾸는 세상이라는 데 동의할 것이다.

고등학생에게 흔히 사용되었던 '네 시간 자면 붙고 다섯 시간 자면 떨어진다'라는 '4당5락'이라는 표현은 유치원에도 퍼지고 있다. 유치원 스쿨버스에 '자면 꿈은 꿀 수 있지만, 공부하면 꿈을 이룰 수 있다'라는 문구가 붙어있는 현실이 되었다.

잠자는 것이 죄가 될 정도로 강한 압박을 하는 '공부'는 신체적, 정신적으로 성장기의 어린 학생들에게 심한 스트레스를 준다. 청소년 자살률 1위의 원인으로 가장 큰 것이 '공부'이다.

부모님은 심각한 스트레스로 자살로까지 이르게 하는 '공부'를 시키기 위해 가족이 한 덩어리가 되어 시간과 경제적으로 '올인'을 하고 있다. 가정 경제 지출의 막대한 비중을 차지하는 사교육비는 출산율과 결혼율을 낮게 하는 매우 무서운 존재가 되었다.

'공부'가 '시험 잘 보기 위해 하는 것', '시험'을 잘 보는 것만이 사회적으로 '성공'한다는 인식, '시험' 잘 보면 행복해진다는 착각으로 생긴 해악이다.

그러기에 '공부란 무엇인가?', '공부를 왜 해야 하는가?'에 대한 고민이 절대적으로 필요하다.

시험만이 공부가 되었다

'친구들과 사이좋게 지내고, 선생님 말씀 잘 들으며 공부 열심히 해~'

초등학생 부모님이 아침에 학교 가는 자녀에게 던지는 말은 '대개'가 이렇다. 학년이 올라갈수록 앞의 말은 생략되고 간단히 줄여서 '공부 열심히 해'로 바뀐다. 자녀들은 의례적으로 가방을 메고 나가며 '네~'하고 대답한다.

이때 주고받은 부모와 자녀 사이의 공부는 '대개'의 경우' 초등학생은 가방 속에 들어있는 '교과서의 학습'이다. 그중에서도 '국어, 영어, 수학, 사회, 과학' 과목이며 '음악, 미술, 실과, 체육'은 공부에서 거리가 좀 먼 편이다.

초등학교의 경우 담임교사가 거의 모든 교과목 수업을 하기에 학교 행사 혹은 불가피한 일이 발생하는 경우 과목별 수업 시간을 유연하게 조정하여 운영한다. '국, 영, 수' 수업 시간이 줄어들면 항의 전화가 오기도 하지만, 그 외의 교과목 수업의 감소에는 학부모가 별로 신경을 쓰지 않는다. 학생들의 경우에는 '체육'수업 빼먹는 것에 굉장히 불만이 높다.

초등학교 고학년이 될수록, 중·고등학생이 될수록 '공부'가 '교과서의 학습'에서 더욱 좁은 의미로 변한다. '공부 열심히 해~'는 '시험 잘 봐', 혹은 '시험 잘 보기 위해 교과서 학습 열심히 해'로

'공부'가 '시험'으로 축소된다. 즉, '공부'의 의미가 '교과서 학습'에서 '시험 보는 것에 대한 준비 혹은 대비'로 축소되는 것이다.

시험은 '정량화'되어 점수와 등급이 나오니, '서열화'되는 경쟁과 그에 따른 부정적인 면의 발생이라는 필연적인 속성을 가지고 있다. 정량화·서열화는 경쟁과 비교를 불러일으키며 학생들 대부분을 '시험 못 본 사람'이 아닌 '공부 못하는 사람'으로, '시험 잘 보는' 극소수를 '공부 잘하는 사람'으로 구별 짓는다.

그러므로 학교 가는 학생들의 마음은 가벼운 마음보다는 무거운 마음, 즐거운 마음보다는 짓눌리는 마음, 친구들과의 협력의 마음보다는 이겨야 하는 경쟁의 마음, 자기 자신에 대한 높은 자부심보다는 열등감으로, 자신에 대한 믿음보다는 불신으로, 긍정의 마음보다는 부정의 마음이 든다. 학교는 즐거운 곳이 아니기에 자발적으로 가고 싶어서 가는 곳이 아닌 의무감으로 가야만 하니까 가는 곳이 된다.

학교는 '공부'가 '시험'으로 둔갑하였기에 옆 친구의 점수가 더 신경 쓰이고 그 이후에 내 점수의 높음이 중요하니 결국은 '서열화', 선착순에 더 강한 열망을 키워주는 곳이 된 것이다. 학교는 극소수 학생만 인정받을 수 있는 곳으로 변했고 대다수 학생은 아웃사이더가 되어가는 곳으로 변한 것이다.

'시험만'이 공부가 된 현실에서 '내신 1등급'을 위해 '공부'는 학교가 아닌 '학원'에서, 혹은 '족집게 과외 선생'에게서 배우는 것이 되었다.

금융문맹률 90%, 공부문맹률 99.9%

-존리, 대한민국 금융문맹 퇴치를 위해 노력하였으나, 그에 대한 분명하지 않고 의혹성 있는 표현으로 쓴 기사로 30년 넘게 쌓아온 신뢰가 한 순간에 무너졌다. 본 책의 신뢰도에 좋지 않은 영향을 미칠지언정 존리 대표의 숭고한 정신을 존중하며 그의 통찰력을 소개한다-

금융 선진국 미국에서 코리아펀드를 운영해서 뛰어난 수익률을 올린 투자 전문가 '존리'. 코리아펀드를 통해 세계 속에 대한민국의 가능성과 경제적 성장의 존재를 알린 '부자학교 대표' 존리는 대한민국의 금융문맹률이 90퍼센트라고 이야기한다. 높은 금융 문맹률로 인해 망해가는 일본을 무섭게 빠른 속도로 닮아가고 있다고 한다. 그런데 누구든지 글을 읽고 쓰는 것처럼 돈을 벌고 계산할 줄 아는데 왜 금융문맹이라고 하는가?

존리는 금융문맹임을 판단하는데 대표적인 잣대가 '주식'에 대한 이해라고 한다. '주식'에 대한 잘못된 편견을 바로 잡아 부자만이 아닌 '모두가' 잘 살 수 있는 대한민국이 되게 하는 꿈을 갖고 있다고 한다. 그는 미국에서의 30여 년의 투자 전문가의 생활을 정리하고 비행기를 타고 고국으로 돌아왔다. 그의 주식 및 투자 철학에 대해 우리나라 증권가를 비롯하여 투자 전문가라는 사람들은 강하게 반발하였다. '주식은 사는 것이지 파는 것이 아니다,

주식은 차트를 보고 샀다 팔았다 하는 것이 아니다, 증권 방송 보지 마라, 누구나 주식으로 돈을 벌 수 있다, 집을 사는 것보다 주식 투자가 돈을 더 많이 번다, 사교육비 대신 주식에 투자해라, 사교육비는 버리는 돈이다, 1년은 장기투자가 아니다 10년 20년 이상 투자해야 한다, 주식투자는 노후 준비이다' 등등의 이야기는 우리나라 증권계, 교육계의 상식에 어긋난 것이다.

교육전문가, 교육행정가에게 '나는 누구인가를 찾아가는 역량을 키우는 것'이 공부라고 하면 고개를 끄덕일까? 대한민국의 금융문맹은 도박하듯이 '샀다 팔았다'하는 것만이 주식이듯이 공부문맹은 '시험'만이 공부가 되었다.

공부 = 국영수 시험 잘 보기 위해 하는 것

공부 = 좋은 대학, 좋은 직장 가기 위해 하는 것

공부 = 일반인은 안 하고 학생만 하는 것

'국영수' 과목이 공부는 아니라고 이야기하는 것이 아니다. '국어'를 배움으로서 세상과의 소통을 원활하게 해주고, '영어'는 만국 공통어이며, '수학'은 숫자로 우주와 자연의 이치를 이해하는 과목으로 매우 소중한 공부의 한 부분이다.

'공부문맹'은 '국영수 시험 보는 것'을 준비하는 것을 공부라고 여기게 하는 것, 국영수 과목 시험으로 학생들을 서열화하기에 '공부는 국영수 시험 잘 봐 내신 1등급 받기 위해 하는 것'이라는 99.9퍼센트의 공부문맹률을 만들었다.

‘샀다 팔았다’하는 것만이 주식이라고 생각하는 주식전문가가 고객의 자산을 운용한다면 어찌 될까? 공부 전문가가 ‘시험’만을 공부라고 안내한다면 어찌 되겠는가?

안타깝게도 대한민국 국민의 압도적인 대다수가 그러하듯이, 금융문맹 탈출의 저자 존리, 즉문즉설의 법륜 스님도 ‘공부’에 대한 생각이 아주 명료하다. ‘공부는 국영수 시험 잘 봐서 내신 1등급 받는 것’이다. 잘못된 주식투자를 통해서 부자가 못 되었듯이, 잘못된 공부를 통해서 행복할 수가 없는 것이다.

공부 잘하는 사람 = 국영수 시험 잘 보는 사람
공부 잘하는 사람 = 대학, 직장 시험 잘 보는 사람
공부 잘하려는 사람 = 오로지 문제집만 푸는 사람

만약에 두 분에게 ‘공부의 진정한 목적, 공부의 진정한 의미’를 물어보는 질문을 했다면 위에 대한 답과 큰 차이가 날 것이다.

금융문맹률이 90%라면, 공부문맹률은 99.9%이다.

막대한 돈이 시험이 목적인 교육에 낭비되고 있다

초·중·고 사교육비가 1년에 30조 내외로 추정하고 있다. 대학에 들어가도 사교육비가 들어간다. 2022년 다른 교육비는 제외하고 부모의 지갑에서 나가는 '대학·대학원의 등록금'만 살펴보면, 1인 연간 약 680만으로 약 21조의 교육비가 지출된다. 학부모는 초·중·고 자녀에게 사교육비를 썼듯이 대학 등록금은 '사'자 들어가는 직업과 공무원·대기업 등에 취직을 위해 준비하는 시험에 대한 사교육비이다.

사교육비로 부모들의 등이 휜다고 하면서 과도한 사교육의 문제가 사회적인 큰 이슈라는 의견에 충분히 동의한다. 그런데 공교육비가 더 어마어마하다는 사실을 간과하고 있다. 공교육비는 학부모가 내는 세금이다. 하늘에서 떨어지는 돈이 아니다.

2023년도 교육부 소관 예산 및 기금운용계획이 102조 원으로 확정되었다고 밝혔다. 초·중·고 학생에게 성공하는 길은 오직 하나인 좋은 대학에 진학하는 것이다. 내신 1등급과 수능 1등급 컷이라는 '시험이 목적'인 교육에 국가는 유아 및 초·중등 부문에 80조 9,120억 원이 편성되었다. 초·중·고 학생의 목적지인 대학 등(고등교육 부문)은 13조 5,135억 원이다.

사교육은 무엇 때문에 성행하는가? 사교육이 새로운 대학입시의 어젠다를 제시하는가? 아니다. 공교육에 의해 사교육은 방향을 전환할 뿐이다. 시험이 목적인 공교육을 사교육은 충실히 따라 하는 죄밖에 없다.

전술(前述)했듯이 마이클브린은 "한국 학생들이 받는 교육의 질적 수준도 의문이다. .... 세상에서 성공하는 길은 오직 하나라는 식의 교육은 다양성이나 가치 있는 이상적인 교육이라고는 생각할 수 없다. .... **한국의 교육은 그 목적이 시험에 있는 것처럼 보인다. 실생활에서의 비판적인 사고, 창의성과는 거리가 멀다.**"고 한국 교육을 비판했다.

마이클 브린은 일반인이 아닌 전문적인 식견을 가진 사람이다. <더 타임즈>, <가디언>, <워싱턴 타임즈> 등에서 한국과 북한 담당 기자로 활약하며 높은 수준의 사고로 지적인 분석과 통찰로 한국 사회를 추적해온 저명한 저널리스트이다. 자신의 고국인 영국에서보다 한국에서 살아온 날이 더 많은 마이클 브린은 한 걸음 떨어져 있는 사람이 장기판의 훈수 두는 사람처럼 더 잘 볼 수 있다. 특히 마이클 브린처럼 한국에 오래도록 거주하며 외국과 비교한 눈은 더욱 정확하다.

우리나라는 공교육비 102조, 초·중·고 사교육비 30조, 대학 등록금 21조, 약 153조의 돈이 학생을 '시험 보는 기계', '공부문맹'으로 만드는 데 쓰고 있다. 국민의 세금으로 만든 엄청난 국가 예산과 사교육비로 공부문맹자 육성과 시험이 목적인 교육에 허투루 낭비하고 있다.

제2장

공부문맹

-시험이 목적인 교육-

들어가는 글

"서구인들이 보기에, 동의하지 못하는 여러 가지 삶에 대해 배운다. 예를 들어 세상에서 성공하는 길은 오직 하나라는 식의 교육은 다양성이나 가치 있는 이상적인 교육이라고는 생각할 수 없다. 그래서 예술적인 감각을 가지고, 창조적인 사고를 하는 사람들은 갈 곳이 없어 보이기까지 한다. 또 하나 지적하고 싶은 것은 한국의 교육은 그 목적이 시험에 있는 것처럼 보인다는 것이다. 실생활에서의 비판적인 사고, 창의성과는 거리가 멀다."
(매일경제, 1999, '한국인을 말한다'. 마이클 브린)

"선생님, 그거 시험에 나오나요?" 학생들이 늘 묻는 말이다. 국영수 과목 내에서도 시험에 나오지 않는 내용은 '건너 뛴다'. 공부문맹은 학생과 선생님만의 잘못이 아니다. '공부=시험', '시험이 목적인 교육'은 우리 사회 모두의 책임이다.

공부문맹은 사교육비를 증가시키며 '도미노' 현상을 불러왔다.

'사교육비 부담으로 출산률 0.78명, 인구 절벽 국가'
'학생의 행복지수 꼴찌, 청소년 자살률 1위, 헬조선'
'책상에 앉아 있는 시간 1위, 잠 부족 1위, 노벨상 제로'
'여성지수 꼴찌, 명품소비액 1위, 노인 자살률·빈곤률 1위'

대학 입시 제도가 바뀌면 입시에 따른 사회의 문제점이 해결된다고 이야기한다. 하지만 수십 년간 바뀌었지만 변한 것은 학생들의 고통이 더 늘어났고 학부모의 어깨가 더 휘어졌다는 것이다.

공부하는 학생 = 국영수 시험 준비하는 학생

공부 잘하는 학생 = 내신 1등급

공부 아주 잘하는 학생 = 내신 1등급, 수능 1등급 컷

이 공식이 존재하는 한 대한민국의 미래는 없다. '다양성이 꽃피는 공존의 창의적인 인재 육성'의 교육부 외침은 소용없다.

학생을 공부 잘하는 사람과 공부 못하는 사람으로 구별 짓는 이분법적 서열화는 사라져야 한다. '모두가 공부 잘하는 교육'으로의 전환은 충분히 가능한 일이다.

공부문맹은 치료 전에 진단이 중요하다

※ **'공부문맹'**이란, '좋은 대학에 진학하기 위해 국영수 시험 1등급을 목표로 하는 것만을 공부라고 하는 것'임을 재차 말씀드립니다.

■ 시험이 목적인 교육

공부문맹은 전염병이다

공부문맹은 4:96 사회를 만든다

공부문맹은 학생을 불행하게 한다

공부문맹은 루저를 만들며 1타 강사를 찾는다

공부문맹은 부정적 자아를 만든다

조선(朝鮮)은 '시험' 사회로 공부문맹을 만들었다

'틀림'과 '모순'은 공부문맹에서 왔다

공부문맹은 집단적 이기심을 키웠다

공부 잘하는 사람이 나라를 팔았다

공부문맹은 우리를 연못 속의 고래로 키웠다

공부문맹은 레밍쥐 집단을 만들었다

공부문맹은 전염병이다

유치원 스쿨버스에 이런 글이 쓰여 있는 사진이 공개되었다.

'지금 자면 꿈은 꿀 수 있지만, 지금 공부하면 꿈을 이룰 수 있다'

외국에서 그랬다면 아동학대로 신고가 들어가고도 남을 문구다. 입시 열기가 최고라고 하는 대한민국의 서울특별시 강남에서 찍은 사진이다. 유치원 원아들을 실어 나르는 스쿨버스에 있던 그 문구를 보고 별다른 충격 없이 무덤덤하게 바라볼 수 있는 곳이 대한민국이다. 4시간 자면 붙고, 5시간 자면 떨어진다는 4당5락이 표어가 된 사회이기 때문이다.

그 차량이 유치원생도 태우고, 중고등학생을 태울 수도 있다. 혹은 과거에 중고등학생을 태웠던 차량인데, 지금은 유치원 스쿨버스로 바뀌었을지도 모른다. 염려되는 것은 파급효과이다. 시골의 어느 뒷골목에 세워진 차량이라도 그런 문구가 쓰여있는 것을 보고 긴장 안 할 부모가 드문 대한민국이다. 입시 학원의 메카이자 교육열이 활화산 같은 강남에 있는 차량에 쓰여 있다면 전염병처럼 번지는 효과가 매우 크다.

수백만 원의 영어 유치원을 경쟁적으로 보내는 대한민국의 실정을 고려한다면 '잠재워서는 안 된다'는 각오 서린 뜻의 문구의 파괴력은 대단한 것이다. 학원에서 학생 모집이나 교육과정 운영, 학원 수강 시간표 조정 및 수강료 인상 등에 활용하고도 남을 것이다. 성장기의 유·청소년들의 취침 시간은 점점 줄어들고 자라나는 새싹들을 스트레스와 병으로 몰아가게 된다.

누군가를 이겨야 하는 경쟁사회는 브레이크가 고장 난 기차와도 같다. 멈춤 없이 가속도가 붙어 더욱 힘차게 달리는 데 누구도 그 심각성을 개선하려 않는다. 더 심각한 것은 그것이 대단히 무서운 문제임을 모르는 것이다. 특정한 사람에게 해당되는 질환이 아니라 코로나19처럼 막강한 전염력을 가졌다는 것을 모른다.

경쟁의 바이러스는 면역력 약한 학생과 학부모에게 전파되자마자 가정 경제를 살피기보다는 사교육비 지출을 늘리고, 자녀의 건강과 적성보다는 국영수 내신 1등급, 수능 1등급컷으로 더욱 힘차게 내몰게 된다. 그렇게 해도 불안한 마음이 없어지지 않지만, 안 한 것보다는 마음이 조금이나마 편안해진다. 자녀의 입시를 위해서, 내신 1등급을 위해서 정보를 교환할 수 있는 학부모 모임 참석은 필수이다. 그 모임은 경쟁의 열차를 더더욱 빠르게 달리게 한다.

입시 교육의 선도를 뛰어넘어 선동하는 분위기의 기운이 감도는 강남은 코로나19가 시작된 것으로 추정하는 중국의 우한처럼, '공부문맹이라는 바이러스'의 발원지가 되는 것이다. 코로나 19는 감염의 바이러스가 있을지도 모른다는 잠재적 전파자로 친구 간에 거리를 두게 했듯이 공부문맹 바이러스는 친구를 적으로 보는 병(病)에 걸리게 한다.

공부문맹 바이러스는 코로나19 바이러스보다 막강한 힘이 있다. 공부문맹의 발원지이자 중심지를 절대로 교육열이 높다는 표현을 사용하는 것은 막아야 할 것이다. 공부의 훌륭한 의미와 신성한 단어를 입시와 시험이라는 의미로 추락시키는 곳이다. 입시열이 높은 곳이지 절대로 교육열이 높은 곳이 아니다. 시험에 대한 몰입과 투자가 흘러넘치는 곳이라 할 수 있으며 올바른 교육을, 올바른 공부를 선도하는 곳이 아니다.

물려받은 재산이나 든든한 후원자 없이, 시험이라는 큰 파고에 휩쓸리는 면역력 약한 보통 사람들, 흙수저의 부모로 자녀를 금수저로 만들어 주고 싶은 선량한 부모들은 공부문맹 바이러스에 전염될 확률이 높다. 전염되었을 경우 면역력이 부족하기에 치명적인 영향을 받는다.

공부문맹의 전염은 매우 위험하고, 치료하지 않고 방치하면 국가의 지속가능한 교육발전은 불가능하다.

공부문맹은 4:96 사회를 만든다

시험이 공부가 된 세상에서 공부란 무엇인가, 공부를 왜 하는가, 공부를 하는 곳은 어디이며 공부 잘하는 사람은 어떤 사람인가? 20대 80의 사회 양극화도 무서운데, 시험은 4대 96을 넘어 1등만 존재할 수 있는 1대 99의 사회를 만들고 있다. 공부의 뜻이 변질되었기에 학생이 가야할 방향성은 길을 잃었고, 학교의 존재, 선생님의 정체성에 대한 의미도 왜곡되고 있다.

고등학생에게 공부란?
공부 = 국영수 시험 잘 보기 위해 하는 것
공부 = 좋은 대학 가기 위해 하는 것
공부 = 학원에서 하는 것

고등학교에서 공부 잘하는 사람이란?
공부 잘하는 사람 = 국영수 내신 1등급
공부 잘하는 사람 = SKY대 진학하는 사람
공부 잘하는 사람 = 학교에서 휴식, 학원에서 열공

공부 잘하는 사람과 못하는 사람 비율은?
공부 잘하는 사람 4%(내신 1등급) : 공부 못하는 사람 96%

선생님에게 공부란?

공부 = 시험 잘 보게 하는 것

공부 = 좋은 대학 가게 하는 것

공부 = 학교에서도 하는 것

공부 잘 가르치는 학교(선생님)란?

= 다른 학교 보다(매우중요) 수능 1등급컷 학생수 많음

공부 잘 가르치는 학교(선생님)

= 다른 학교 보다(매우중요) SKY대 진학 학생수 많음

공부 잘 가르치는 학교(선생님)

= 학원 못지않게 입시 지도함

아무리 공부 잘 가르치는 학교(선생님)라 하더라도, 공부 잘하는 사람과 못하는 사람 비율 = 4% : 96%

위의 표현이 너무 극단적인가? 우리는 모르는 사이에 서열화, 등급화된 사회 환경에 학생들을 밀어 넣고 있다. 1등급도 여러 과목을 합쳐서 평균을 내서 이야기하기에 1등급 초반대, 중반대, 후반대 등으로 다시 서열화한다. 어떻게 해야 1등급을 받을 수 있을까? 일단은 시험을 잘 봐야 한다. 조건이 있다. 점수가 어떻든 간에 남들보다, 자기 친구보다 잘 봐야 한다.

수능시험은 과목별 원점수에 의한 평균과 표준편차를 구해서 표준점수와 백분위, 비율을 구한다. 수능컷은 시험의 난이도에

영향을 받지 않고, 모든 수험자를 등급으로 나눈다. 내신 등급 비율과 동일하지 않지만 거의 비슷하다. 어떻게 해야 1등급컷을 받을 수 있을까? 내신 1등급처럼 무조건 친구들보다 좋은 성적을 받아야 1등급 컷에 들수 있다. 이름도 '컷'으로 커트라인을 의미할 것이다. 학생을, 사람을 점수로 자르는 것이다.

수능 1등급 컷은 경쟁상대가 하나의 학교나 학원이 아닌 더 넓은 지역, 더 많은 곳의 학생들이 경쟁자임을 잊지 않게 한다. 학생들의 경쟁상대가 바로 옆에만 있지 않고 보이지 않는 곳곳, 전국 방방곡곡에 있다는 것을 실감하게 한다. 그러니 유치원 스쿨버스에 있던 문구를 보고 긴장하지 않을 수험생과 부모님이 있을 수 없다.

시험으로 구별되는 4:96의 경쟁 시대에 살기 때문이다.

공부문맹은 학생을 불행하게 한다

"길동이 형이 고3이 되었을 때, 같은 반 친구가 계속 결석한다고 한다. 전교에서 성적이 최상위의 친구로 초중고 탄탄대로를 달려온 공부 잘하는 친구라고 한다. 엄마의 성화와 기대에 부응하는 존재로, 국영수 시험 잘 보는 시험 기계로 더 이상 살지 않으려 한다고 한다. 엄마에 대한 복수심에서 국영수 참고서와 문제집을 내던졌으며, 학교와 학원을 다니지 않고, 방문을 걸어 잠궜다고 한다. 몇 년 뒤에는 여동생까지도....."

시험의 일상이 학교생활이 되었기에 학교는 행복한 곳이 아닌 불행을 만드는 무서운 곳이 된다. 꿈과 끼를 키워나가야 할 곳이 4%에 들지 못해 내신 1등급을 받지 못하므로 자기를 비하하는 곳, 그런 시험 문화에 대한 책임을 묻고 싶기에 헬조선을 부추기는 곳이 되어가고 있다.

학교에는 두 종류의 학생이 존재한다.

공부 잘하는 학생, 공부 못하는 학생이다. 즉 국영수 시험 잘 보는 학생, 시험 잘 못 보는 학생. 더 정확히 하면 국영수 시험 봐서 친구들보다 점수 높은 극소수(4%)의 내신 1등급 학생, 점수 낮은 대다수(96%)의 학생인 두 부류이다. 공부를 잘하건 못하건 시험을 잘 보건 못 보건 공통점은 자기 자신에 대한 사랑과 존중, 자아존중감이 낮다.

교사와 학생 사이의 쌍방향 소통은 초등학교 학년이 올라갈수록, 중학교에서 고등학교로 올라갈수록 점점 줄어든다. 일방적인 설명으로 이뤄지며 문제 푸는 기계, 4개 중에 하나를 고르는 반복적인 일을 하는 로봇으로 만들고 있다. 학생들이 무엇을 좋아하는지 무엇을 잘하는지 알아보는 것은 사치이다. 취미 활동, 스포츠 활동, 이성 교제, 소질 계발 등은 고진감래라는 미명하에 대학 진학 후로 미뤄진다.

비교육적이고 성차별적, 인권침해의 슬로건이 교실에 붙어있는 웃지 못할 현실이다. '수능 잘 봐 대학 가면 배우자의 얼굴이 바뀐다', '대학 가서 미팅할래, 공장 가서 미싱할래'. 과거에 주로 학급 급훈이었던 '소년이여 야망을 가져라'에서 야망이 기껏해야 내신 1등급이요, 대학 진학이다.

1등급의 학생도 자신의 위치를 지켜내야 하는 스트레스, 자신의 앞에 있는 친구를 추월해야 하는 스트레스, 학교에 더 이상 앞지를 학생이 없다 하더라도 끝이 아니다. 전국 학생이 같은 날, 같은 시간, 같은 문제로 시험 본 수능성적에 의해 서열화가 이루어지기 때문이다.

우리나라 수능과 비슷한 미국의 SAT 성적은 학업을 따라갈 능력, 즉 수학(修學) 능력이 있는지만 판단한다고 한다. 2,400점 만점자나 2,300점의 학생의 대학 진학 조건에 차이는 없다. 반면에 우리나라는 수능 원점수 차이에 따라 민감하게 등급이 결정되기에 한 문제 맞고 틀리는 것이 매우 중요하다. 미국은 최근들어 그 제도마저도 불필요하다고 여겨서 SAT 폐지를 추진한다고 한다. 대학 입학에 SAT 점수를 적용하지 않겠다는 뜻이다.

어떤 쌍둥이 아빠는 자녀들이 같은 학교에서 서로의 경쟁자로 크며 서로를 미워하는 것을 예방하고자 각각 다른 고등학교로 진학시키는 지혜(?)를 발휘하였다는 소리를 들었다.

공부 못하는 학생은 부모님에게서, 학교 선생님에게서, 학원 선생님에게서 못함에 대한 끊임없는 질책으로 부정적 정서가 쌓여가며 자기 상실감이 최고조로 다다른다. 부모님이 없는 살림에 자식의 학원비와 과외비를 지출하는 액수가 적지 않음을 알고 나름 노력하지만 오르지 않는 성적, 학교에서 보낸 시간 이상 학원에서 보내고 집에 오면 12시가 넘어 매일매일 부족한 취침 시간. 떨어지는 컨디션과 떨어지는 성적으로 자괴감에 빠지며 탈선을 꿈꾸게 된다. 하기 싫은 시험공부를 위해 학교에 가고, 학교도 모자라 학원으로 달려가야 한다.

국제학업성취도 평가 성적은 우리나라가 상위권으로 공부 잘하는 학생이 공부 못하는 학생보다 많아야 할 텐데, 학생 스스로 느끼는 것은 그 반대이다. 우리 학생들은 스스로 불행함을 느낀다.

공부문맹은 학생들과 부모들을 잠 못 들게 한다. 그 책임을 교육자는 알고 있는지, 국가의 리더들은 알고 있는지 끝없이 물어야 할 것이다.

공부문맹은 루저를 만들며 1타 강사를 찾는다

시험 잘 보기 위해 온 힘을 기울이는 것이 공부라고 학생들과 학부모에게 고착되고 있다. 사회의 지식층들이 아무리 근사한 말을 해도 이것의 오류를 잡기에는 너무 어렵다.

공립 초등학교(사립은?)에서는 객관식 시험을 없앴으나 여전히 평가가 존재하고, 평가 결과를 생활 통지표로 가정에 알리고 있다. 가정에서는 점수와 등수 표시가 없는 통지표에 만족하지 못한다. 자녀의 공부 정도를 콕 집어서 알 수가 없기 때문이다. 대한민국은 숫자로 나타내는 것이 공부 결과이다. 적어도 '수우미양가'라도 있어야 하는데, 평가 결과를 보고 공부를 잘하는지 판단이 서지 않는 것이다.

공부 = 점수가 나와야 하는 것

공부 = 등수가 나와야 하는 것

공부 = 점수가 나오는 학원에서 하는 것

중학교를 거쳐 고등학교에 진학하면서 객관식 시험은 본격적인 궤도에 진입한다. 대학 수능이 객관식 시험이며, 학교 내신 등급을 결정짓는 시험 문제도 객관식의 비중이 압도적이다. 객관식의 대표적인 이름이 '4지선다', '4지선다형 문제'라고 불린다.

객관식 시험은 '맞고, 틀림'을 고르는 것이다. '이 물음에 맞는 것을 고르시오, 틀린 것을 고르시오'. 시험을 출제하는 선생님, 시험을 보는 학생들은 모든 문제에서 이분법적으로 맞고 틀림의 울타리에 갇힌다. 정답을 확인하고 난 후 '몇 개 맞았다, 몇 개 틀렸다'라고 이야기한다. 3년 내내 '맞고, 틀림'을 고르고, '맞고, 틀림'의 개수인 결과를 희망보다는 비관적인 마음으로 받게 된다. '맞은 개수'보다 '틀린 개수'가 더 중요하다. 상대평가의 문화에서 '틀림'은 경쟁력이 무너지는 무서운 존재이다.

좋은 생각, 좋은 환경, 좋은 언어를 사용해야 긍정적 자아와 자아존중감이 높아지며 타인에 대한 존중도 높아진다는 것을 모르는 사람이 없을 정도로 일반적인 이야기이다. 대한민국 학생들은 학교에서 학원에서 매일매일, 순간마다 '틀림', '실패'로 '루저'의 상(像)을 키워가고 있다. 시험으로 이루어진 학교의 1년 루틴은 부정적 자아 형성의 패턴을 유지한다.

학교 = 시험만 보는 곳

학교 = 컴퓨터용 싸인펜만 필요한 곳

학교 = 내가 틀림을 깨닫는 곳

고등학교 3년을 되돌아볼 때 시험 말고 남는 추억이 있을까? 진단평가, 모의고사, 중간고사, 기말고사 등이 한 학기인 6개월 동안 돌고 돈다. 방학을 빼면 4개월 남짓의 기간에 보는 시험이니 '틀림'의 부정적 자아를 학교에서 3년 내내 심어주고 있다. 성적에 대한 불안함에 찾아간 학원에서는 더 많은 시험으로 더 자주자주 '틀림'의 부정적 자아를 깊숙이 심어준다. 선생님 역시 시험 문제를 출제하며 스스로 '맞고, 틀림'의 이분법적 관념에 사로잡히니, 학생들에게 창의적인 교육, 인성교육은 언감생심이다. '틀림'이 적어야 명문학교, 1타 강사, 1타 선생님이 될 수 있는 현실이다. '틀림'에 집중할수록 '틀림의 부정적 자아'가 자석처럼 끌려온다는 뇌과학적 사실이 매우 무섭다. '4지선다'에 길들여진 학생들은 사회에 진출해서 한 단계 높아진 '5지선다'를 만난다. 성인이 되어서도 '틀림'의 루저는 현재 진행형이다.

공부 가르치는 선생님 = 국영수 선생님
공부 잘 가르치는 선생님 = 시험 점수 높여주는 선생님
공부 아주 잘 가르치는 선생님 = 내신1, 수능1, 1타 선생님

시험에서의 루저(실패자)는 인생에서의 루저라는 도미노 현상을 초래한다. 공부문맹은 나만이 아닌 가족까지도 루저로 만들고, 루저로 가득한 세상을 만든다.

공부문맹은 부정적 자아를 만든다

"홍선생은 어떤 연수에서 들었던 내용이 가슴에 와닿아 동료 교사에게 전했다. '유럽의 연구결과 태어나서 만 18세가 될 때까지 평균적으로 11만 8천 번의 부정적인 소리를 듣고 성장한다'는 말을 전했다. 우리나라는 어느 정도일까에 대해 서로 이야기를 주고받은 결과, 유럽보다 훨씬 많은 빈도수일 것이라는 데 이견이 없었다."

유럽의 청소년이 성인이 될 때까지 들은 부정적 언어 빈도수는 우리에게는 조족지혈(鳥足之血)에 불과할 뿐이다. 조선시대 공자의 유가 사상의 도입으로 '나'보다는 '남'을 살펴야 하는 평생의 삶은 '나'를 절제하고 가두는 부정 덩어리가 되어간다. 반복적인 부정적인 생각(RNT, repetitive negative thinking)은 정신건강에 치명적인 위협이며 치매 발병률과도 높은 관련성이 있다고 밝혀졌다.

공부의 잘못된 개념은 대한민국 국민의 자아존중감에 극심한 부정적 영향을 미친다. 국영수 시험, 대학 수능시험, 취직시험, 승진시험에 좋은 결과를 얻는 사람보다 '나쁜' 결과를 얻는 사람들이 압도적으로 많다. 내신 1등급과 수능 1등급 컷이 아닌 학생, 취직에서 떨어진 구직자, 승진에서 물먹은 사람이 훨씬 많다. 가뜩이나 집에서 부모님에게 '게임 하지 마라, 놀지 마라, 텔레비전 보지 마라, 너는 안돼, 할 줄 아는 게 먹고 싸는 것 밖에 없지 않니?' 이루 말할 수 없이 수많은 부정적 언어를 듣고, 부정적 몸짓을 보며 성장하니 자신에 대한 긍정적 효능감이 높을 수 없다.

어디 그뿐인가? 텔레비전 뉴스, 신문 지상에서 죄지은 자, 그것도 잡범이 아닌 우리나라 지도층이 저지른 범죄를 처벌하는 검찰 이야기가 안 나오는 날이 없다. 드라마, 영화 역시 아름답고 가슴 따뜻한 내용보다는 부정적이고 자극적인 내용으로 가득차 있다. 매스컴과 스마트폰에서의 부정적 표현과 기사는 성인이 될 때까지 118,000번이 아닌 100만 번, 1,000만 번의 부정적 환경에 노출된다. 이런 환경에서 자존감이 긍정적으로 형성된다는 것은 기적이다. 안전지대라 여기는 학교에서도 '시험'으로 반복적인 부정적인 생각(RNT)을 심어주고 있다. 긍정적이지 못한 내용을 학생의 Self인 자아에 주입하고 있다.

시험은 부정적 자아형성의 일등공신(?)이다.

조선(朝鮮)은 '시험' 사회로 공부문맹을 만들었다

"공자가 제자들에게 강조한 공부는 과정으로서의 공부이지 도달해야 하는 목표점의 공부가 아니었다. 지식을 축적하고 남에게 내세우기 위한 공부가 아니라 인간으로서 완성된 자아를 향해 나아가는 길이 공자의 공부였었다. 공자가 가장 사랑하고 높게 평가한 제자, 안연이 바로 그런 공부의 길을 간 사람이다. 그가 시를 얼마나 많이 암송하는지, 책을 얼마나 읽었는지에 있지 않고. '자신의 화를 남에게 옮기지 않고 잘못을 두 번 하지 않았기 때문에' 학문(學問)을 좋아하는 제자라고 칭찬하고 자랑하였다."(2012, 용인시민신문)

논어 첫 문장은 "학이시습지 불역열호(學而時習之 不亦說乎)"이다. '배우고 그것을 때때로 익히니 기쁘지 않겠는가'로 해석함으로써 즉, 습(習)을 '익힌다'로만 해석한 것이 공부문맹의 시작점이다. 공자가 안연을 칭송한 것은 습(習)을 '익힌다'보다는 더 나아가 완성된 자아를 만드는 과정으로서의 습(習)인 것이다.

그러나 역사를 되돌아보면 조선시대는 모든 백성을 시험에 들게 하고, 모든 백성이 하루 종일, 인생 내내 심지어는 죽어서도 평가받게 한 시대이다. 시험이 공부라는 잘못된 생각의 공부문맹이 우리나라에 뿌리를 내린 시기이다. 백성을 중심에 두지 않고 권력의 유지를 위한 야욕이 그 당시의 사회뿐 아니라 후손들에게까지 처참한 경쟁사회, 서열화의 사회로 만든 것이다.

신라 경덕왕(751년) 10년 무렵에 간행되어 경주 불국사의 석가탑(釋迦塔)에서 발견된 세계 최초의 목판 인쇄본(印刷本) 무구정광대다라니경(無垢淨光大陀羅尼經), 불국사와 석굴암, 고려대장경이라 불리는 팔만대장경, 세계 최초의 금속활자(1234년), 찬란한 고려청자 등의 뛰어난 창작은 조선시대에 들어 발견하기 어렵다.

이로써 '공부', '학문(學問)'이 '배움과 물음'이 아닌 '배우고 익힌다'는 것으로 탈바꿈한 것이 조선시대가 시초였다고 유추할 수 있다. '익힌다'로 철저하게 바뀌었기에 창의성보다는 '성현들의 글을 암송하여 말과 글로 표현'함으로써 자신의 지적 수준을 나타낼 수 있었다.

중국을 섬기는 사대주의의 토대로 만들어진 조선은 왕권과 대등한 권력을 유지하기 위해 우리나라에 학문(學文)으로서만 존재했던 유학을 정치이념에 맞게 탈바꿈시켜 도입하였다. 조선시대 신권(臣權)의 주류 세력은 학문(學文)의 체계가 뛰어난 유학의 사상(思想)을 백성들을 통치하기 유리하게 해석·적용하였다. 유학이라는 '학문(學文)'을 학문(學問)의 수단으로 구실 삼아, 배우고 익힌 것을 확인하는 끊임없는 '시험' 속에서 통치를 위해, '나'가 아닌 '남'의 눈치를 보는 백성들을 만들어 갔다. 공부, 학문(學問)은 '시험이다'라는

DNA를 500년 동안 심어준 것이다.

유학과 성리학 등의 학문(學問)을 통해 배운 것을 백성의 삶에 적용한 사회가 조선이다. 즉 배우고 익힌 것을 생활에서 철저하게 실천해야 했기에 사회 전체가 시험장이 되었다. 배운 것이 제대로 실천되지 않으면 불효이며 불충이 되기에 엄격한 잣대를 적용한 시험의 장이 생활인 것이다.

공부란?
조선 = 예법 배우기
대한민국 = 국영수 시험 준비

공부 잘하는 사람이란?
조선 = 예법 아는 자
대한민국 = 국영수 내신 1등급, 수능 1등급 컷

배우고 익힌 학문(學文)을 확인하여 잘난 자(者)인지, 못난 자(者)인지를 가리는 수단으로서 '시험'이 '학문(學問)'이 된 것이다. 습(習)을 '익힌다'로만 해석하는 대한민국의 교육을 보고 공자는 얼마나 애통해할까?

‘틀림’과 ‘모순’은 공부문맹에서 왔다

추석이나 설의 차례상 혹은 집안의 제사상을 차릴 때 ‘홍동백서’, ‘조율이시’, ‘어동육서’, ‘동두서미’의 예법이 있다. 차례상 혹은 제사상을 앞에 두고 ‘틀렸다’, ‘맞다’의 논쟁은 대한민국 모두에게 익숙한 장면이다. ‘틀렸다’는 소리를 듣거나, 논쟁에 휘말리지 않기 위해 침묵으로 일관하는 사람이 많다. 제대로 못 했을 때, 즉 ‘틀렸을 때’는 집안 어른의 호통이 떨어지기 때문에 가만히 있으면 중간은 간다는 심정이다.

세배할 때 손의 위치, 상가에서 절을 할 때의 손의 위치, 절의 횟수, 무릎은 어떻게, 머리는 어떻게 해야 한다는 예법이 존재한다. 식사의 예법도 이루 말할 수 없을 정도이다. 결혼의 예법, 장례의 예법 등 모든 예법은 암기되어야 할 대상이고 잘못 알았을 때는 ‘틀림’의 대상이 된다. 그러므로 필연적으로 ‘다름’이 아니라 ‘틀림’이 존재하는 사회가 되어 자신에 대한 믿음은 작아지고 남의 눈치를 볼 수밖에 없다. 생활 자체가 ‘시험’의 연속이다.

그런데, 또 다른 문제는 해석하는 사람의 권력에 따라 다르다는 것이다. 그러기에 우리는 모두가 ‘틀린 사람’이 될 수밖에 없는 운명이다. 해석의 차이로 역사 속에 기록될 정도로 논란이 된 사건이 있다.

조선시대 왕권과 신권의 대결인 예송논쟁(禮訟論爭)은 예절에 관한 논란이었다. 효종에 대한 계모이자 효종비 인선왕후에 대한 시가 계모 자의대비(慈懿大妃)의 복상 기간을 둘러싸고 현종, 숙종 시대에 발생한 서인과 남인 간의 관련된 논쟁이었다. 이때 인조의 계비 자의대비의 복제가 결정적인 쟁점이 되었기 때문에 복상문제(服喪問題)라고도 부른다. 서인(西人)은 효종이 인조의 적장자가 아님을 들어 왕과 사대부에게 동일한 예(禮)가 적용되어야 한다는 입장인 1년 설과 9개월 설을 주장하였고, 남인(南人)은 왕에게는 일반 사대부와 다른 예가 적용되어야 한다는 입장에서 3년 설과 1년 설을 각각 주장하여 대립하였다.

어떤 결론이 나던지 서인과 남인 중에 '틀림'으로 끝날 것이다. 문제는 강한 자는 '맞음, 옳음', 약한 자는 '틀림, 그름'이 되는 것이다.

공부 잘하는 사람이란?
조선 = 예법 해석하는 기득권자

공자의 말이 실린 논어(論語)에서 이르기를 '친구를 사귀려면 나보다 훌륭한 친구를 택하라(求朋須勝己, 구붕수승기)'는 말이 있다. **학교에서는 선생님이 학생에게, 집에서는 부모님이 자녀에게** 친구의 중요성을 이야기하며 해주는 말이다.

'무궁화꽃이 피었습니다'의 작가 김진명은 소설 '고구려'에서 求朋須勝己(구붕수승기)의 심각한 오류를 이야기했다. '나보다 나은 사람을 친구로 택한다면 그 친구는 자신보다 못한 사람을 친구로 사귄다는 것이 되는데, 어찌 가능한 일이며 세상살이에서 잘난 사람만 찾아서 친구로 삼아야 한다는 것이 어찌 도(道)라고 할 것인가'라고.

좋은 친구란?

조선 = 나보다 예법을 잘 아는 친구

대한민국 = 나보다 국영수 시험 잘 보는 친구

조선과 대한민국의 공통점

조선 = 사귈 친구가 없음(못 사귐)

대한민국 = 사귈 친구가 없음(못 사귐)

* 잘 난 친구가 자신보다 못한 친구를 맞이해야 하는 입장이 발생함. 친구는 자기보다 잘나야 함. 그러므로 친구 관계는 존재 불가함

차례상, 제사상에서 갑론을박이 되었던 '홍동백서', '조율이시', '어동육서', '동두서미'의 예법이 근거 없는 것으로 밝혀졌다 한다. '유학'에서 배우고 익힌 것을 확인할 수 있는 '시험'의 수단이 되었던 '차례상·제사상 예법'이 근거 없다고 한다. 근거 없는 예법을 수백 년 동안 정쟁(政爭)으로 국력을 소모했고 '틀림'으로 국민(백성)을 옭아맨 것이다.

공부문맹은 생각하는 힘, 사고(思考)의 힘을 앗아갔다.

공부문맹은 집단적 이기심을 키웠다

조선후기에 흥선대원군은 '백성을 위한 유학, 혹은 유학으로 백성을 다스린다'는 유학적 위민 정치(爲民政治)의 부흥과 부국강병을 실현하고자 왕권 강화 정책을 추진하였다.

유학적 위민 정치(爲民政治)라는 말은 그동안 유학이 '유학의 근본 사상'인 백성을 위함이 아닌 유림 세력들을 위한 유학이였음을 증명한다. 흥선대원군은 모든 사회 병폐의 근원인 세도정치를 뿌리뽑기 위하여 안동 김씨 일파를 몰아내고, 당파와 지방색을 가리지 않고 인재를 등용하였다. 또한, 당쟁의 온상이며 양반 지주의 아성으로서 국가 재정을 좀먹던 서원을 대폭 정리하여, 전국에 47개소만 남기고 600여 개소를 철폐하였다.

서원 철폐는 완강한 지방 유생의 반발을 일으켰다. 그러기에 위민정치와 부국강병의 선의(善意)로 위장된 이기심(利己心)으로 '혼자서 계란으로 바위 치려 했던' 흥선대원군의 패퇴가 너무도 당연한 결과이다.

유학적 위민 정치(爲民政治)는 공무문맹에 빠트리며 권력을 차지하며 사회적 모순을 키운 '유학적 세도정치'에 대한 도전이며, 부국강병을 위한 '왕권(王權)강화'는 이기심에 사로잡힌 유림 세력인 노론의 '신권(臣權)'에 대한 도전이었다.

흥선대원군의 유학적 위민정치(爲民政治)에 맞선 노론을 집단이기심의 발로로 치부할 수 있는 역사적 근거는 일본으로부터 귀족작위를 받은 76명 중 57명이 노론이었으며, 매국노 이완용이 노론의 당수였다는 사실로 충분하다.

역사는 조선의 쇄국정책 주창자를 흥선대원군으로 지칭해서 서술하나 조선은 이미 중국을 제외한 모든 국가에 대해 폐쇄성을 유지해 온 상태였다. 흥선대원군의 정책이 탐욕의 경쟁이 치열한 외국 세력의 힘에 굴복해 실패로 끝난 것도 사실이나 세도정치의 기득권 세력인 유림과 외척 세력의 반발이 더 큰 이유이다.

어떤 재야 사학자가 증거를 토대로 '노론은 조선총독부의 식민사관과 동일하며 현재 그들이 대한민국 역사계의 주류라는 이야기는 대한민국이 집단 이기심에 사로잡힌 국가'라고 한다. 공부문맹에 의한 집단 이기심으로 세계열강과 일본의 침탈에 대한 구실 제공으로 치욕적인 주권의 빼앗김, 동족상잔의 6.25 전쟁이 뒤따랐다.

역사학계는 흥선대원군은 쇄국정책으로 나라의 근대화를 늦춘 주범으로, 이완용은 매국의 주범으로 내세웠다. 주류 역사학계가 쇄국정책과 매국의 주인공이었기에 희생양으로 흥선대원군과 이완용이 필요했을 수도 있다.

충분히 가능한 일이다. 그래서 공부문맹이 무서운 것이다. 그들이 가진 학문은 인륜도, 천륜도 집단적 이기심으로 해석하기 나름이기 때문이다.

공부 잘하는 사람이 나라를 팔았다

조선시대에 공부 잘하는 사람이 한 일은?
애국(愛國)인가, 매국(賣國)인가?

왕권보다 신권이 우세했던 조선시대의 기득권 세력 노론이 만든 카르텔은 300년 이상 조선을 지배했다. 예법이라는 형식으로 백성을 공부문맹으로 만들어 백성을 얽매이게 만든 노론이 우리나라를 일본에 팔아넘기는 데 앞을 다투는 경쟁을 펼쳤다는 사실을 재야사학자가 구체적인 증거를 내세워 국민들에게 알리고 있다.

정황상 나라를 팔아먹은 것이 아니다. 자랑스러운 모습으로 사진을 찍어서 매체에 공개한 것이다. 그 당시 더 먼저, 더 많이 매국하려고 치열한 경쟁을 벌였고, 매국노(賣國奴)가 기득권 세력과 왕의 친척이라니 믿어지는가? 조선의 엘리트 집단이 매국노의 총체라는 것이다. 기득권들은 조선에서 공부문맹으로는 최고의 위치에 있는 집단이다.

독도는 일본 땅이라고 일본이 끊임없이 주장한다. 대한민국 국민들도 그 사실을 잘 알고 있다. 그런데, 독도는 일본 땅이라고 주장하는 대한민국의 역사학자가 있다는 사실은 모를 것이다. 그 사람들(!)이 우리나라 역사학계의 주류 역할을 하는 사람이라면 믿어지는가? 그들이 나라를 판 매국노의 정신을 이어받은 노론의 후예라는 사실을 증명할 필요도 없는 것이다.

한가람역사문화연구소 소장 이덕일 교수에 의하면 이제 독도는 일본 땅이라는 주장은 너무도 진부하며 독도를 넘어 대한민국의 남쪽 영토로 확대되었다 한다. 가야는 임나일본부로 일본 땅, 한강 이북은 중국 땅이라고 주장한다고 하니 대부분 그 사실을 모르는 우리를 까무러치게 놀라게 한다.

조선총독부가 우리를 식민화하던 대일항쟁기에 있었던 이야기가 아니다. 2023년 지금의 이야기이다. 이덕일 등의 역사학자의 주장에 의하면 우리나라 강단 사학자에 속한 이들, 즉 대학 혹은 국가의 세금으로 운영되는 역사 관련 단체에서 주장하는 것이며 그 주장을 정부에서조차 막지 못하고 있을 뿐 아니라 오히려 부추기는 듯한 느낌을 준다고 한다.

국영수 시험이 우리 국민을 공부문맹으로 만들었듯이 조선은 예법으로, 최근에 밝혀진 바로는 근거 없는 예법으로 백성을 공부문맹으로 만들었다.

우리는 이완용이 조선을 300년 이상 지배한 노론의 당수라는 사실을 아는가? 일본에 나라 팔아넘긴 그가 죽기 직전 친아들에게 남긴 유언이 "내가 보니까 앞으로는 미국이 득세할 것 같으니, 너는 친미파가 되거라"라고 한다. 그가 위와 같은 유언을 하고, 한마디 더 덧붙였다. "힘없는 다리 부축해달라고 남에게 부탁한 것이 어떻게 나라를 팔아먹은 일이라고 매도당해야 하는가?" 개인의 사리사욕에는 국가도 민족도 없는 것이다.

1945년 대일항쟁기가 끝났음에도 우리의 눈과 귀를 그들이 아직도 막고 있다. 친일파는 해방 후에도 정계, 언론계, 학계, 법조계, 군대와 경찰의 핵심 요직들을 차지했다. '나까무라 스미스', '철면피 스미스'라는 말이 회자(膾炙)되고 있다. 일제 강점기에 창씨개명을 한 '나까무라'가 미군정이 들어서자 '스미스'로 이름을 바꾼 뒤 떵떵거리고 사는 사람들을 말한다. 일본에 붙어 출세한 사람이 미군에 붙은 기회주의자를 '철면피 스미스'라 한다.

대한민국의 공부 잘하는 사람들이 나라를 팔아 온 역사를 보면 조선은 중국에 대한 사대주의로 나라를 중국에 고스란히 바쳤고, 공부문맹으로 약해진 조선을 일본에 팔았고, 일본이 패망하자 일본에 붙었던 기회주의자들이 또다시 미국에 나라를 팔았다. 나라를 판 주인공들이 지금도 떵떵거리며 정계, 언론계, 학계, 법조계, 군대와 경찰의 핵심 요직들을 차지하고 있으니 그들의 잔치가 끝난 것이 아니다.

드라마 '미스터션샤인'의 '이완익'같이 나라를 팔은 인물이 21세기 대한민국에서도 현재 진행형이다. '시험'은 공부문맹자를 만들어 드라마의 이완익, 역사속의 이완용을 만들어 가고 있다. 부모들의 과오(過誤)에 괴로워하며 과거의 잘못을 잡으려 하는 미스터션샤인의 '김희성' 같은 자녀들이 공부문맹으로 달리는 사회에서 나올지 의문이다.

집단적 공부문맹자들은 지금도 나라를 팔아먹고 있다.

공부문맹은 우리를 연못 속의 고래로 만들었다

시험이 공부인 나라가 또 있다. 공부문맹자들이 나라를 팔았던 이웃나라 일본이다. 일본도 공부문맹에 빠져있는 대표적인 나라로 공부문맹률이 우리와 1등 자리를 놓고 경쟁한다. 공부문맹국 일본도 자본주의의 원리 이해가 부족해서 돈을 자본의 확장이 아닌 은행과 벽장을 선택했다.

미국의 부동산을 사들일 정도의 막대한 자금을 은행이나 벽장 속에 넣으며 일본 주식시장에 투자를 소홀히 했다. 자본시장의 '연못'을 고집했기에 국가 부채율이 300%에 달하며 지금은 회복 불능의 망(亡)해 가는 나라이다.

국가 부채율이 40%인 우리나라는 자본 시장을 '고래'로 키울 수 있는 양질의 자금으로 약 1,000조가 있다고 한다. 노후를 위한 연금제도에 의해 모여진 자금으로서 연금을 지급하는 원천이 되는 연금(年金, pension fund)과 기금(基金, superannuation fund)인 연기금의 규모가 막대하다. 국민 연금 기금, 사학 연금 기금, 공무원 연금 기금 등으로 우리나라 주식시장 코스피의 시가총액 약 2,000조의 절반 정도에 해당하는 막대한 자금이다.

테슬라(Tesla)는 전기차 시장의 파이를 키우기 위해 특허를 공개했다. 전기차 시장 규모가 '연못'에 머물러있는 2014년에 '바다'처럼 넓은 시장으로 키우기 위한 개방을 선택한 것이다.

오픈 소스(Open Source) 정책으로 윈-윈을 통해 전기차 시장을 키우는 것이 특허 수입보다 훨씬 더 크다는 게 그의 논리였다. '연못'이 '바다'가 된다면 테슬라는 더 많은 먹거리가 된 자동차 시장에서 '연못'을 지배하던 '메기'에서, '바다'를 지배하는 '고래'가 되는 선택을 한 것이다.

대한민국의 막대한 양질의 자금이 우리나라 주식 시장보다는 미국 시장에 투자하는 비중이 훨씬 높다고 한다. 우리나라 시장은 '연못'이기에 그곳에 투자했다가 연금 지급 시기에 투자금을 회수 못할 수 있다는 논리를 편다고 한다. 우리나라 돈으로 우리나라 시장 크기가 '연못'이라면 '바다'로 만들 생각을 못하는 것이다. 다른 나라가 '바다'가 되는 것에 우리 돈으로 돕는 것이다. 연못에 물이 폭포수처럼 흘러들어가면 어찌되겠는가? 작은 연못이 시내가 되고 강이 되고 바다가 되지 않겠는가?

2014년 전기차 시장 누적치가 70만대에 불과하나, 블룸버그 자료는 글로벌 전기차 연간 판매량을 2025년 850만대, 2030년 2600만대로 내다봤다, 2030년에 이르면 전세계에 누적판매량이 1억1600만대가 된다. 테슬라의 CEO 일론 머스크는 특허에 대한 '개방성'을 통해 '테슬라'라는 물고기를 '연못 속에서의 메기'에서 '바닷속의 고래'가 될 '가능성'을 확신한 것이다.

공부문맹으로 개방성과 확장성보다는 일방적인 가르침으로 배워서 달달달 암기하며 폐쇄적이고 제한적인 공부를 추구하기에 '연못속의 고래'가 되는 것이다. 공부문맹은 거대한 대한민국을 '연못 속의 고래'로 남아있게 하고 있다.

공부문맹은 레밍쥐 집단을 만들었다

'꽃들에게 희망을'이라는 짧은 글에서 애벌레 기둥을 향해 가야 하는 이유도 모르면서 줄지어 가는 애벌레는 비통하게도 우리나라의 현실을 비추어준다. 공부는 자아실현을 위한 것임을 잊은 채 국영수 시험을 위한 거대한 애벌레 기둥을 향해 가고 있는 사실조차 모른다.

국가가 주도하며 막대한 돈을 낭비하는 국영수 시험으로 부모도 자녀에게 결코 행복을 주지 않는 곳에 돈과 시간을 쏟아붓고 있다. 자녀의 자아실현이 아닌 경쟁으로 몰아넣는데 막대한 비용을 지불하고 있다. 옆집 아이가 영어 공부를 위해 외국에 나가기에 우리 집 아이들도 유학이 아니더라도 언어연수를 위해 허리띠 졸라매고, 집을 담보로 대출받아 보낸다. 유학 간 학생들의 과반수 이상이 도중하차하는 현실이다.

국영수 시험 잘 보는 기계를 만드는 전문 마을인 강남 대치동과 목동은 부동산 가격이 대단히 높다. 학원 인근의 까페는 학원에 들여보내고 기다리며 입시 정보를 주고받는 부모님이 넘쳐나고, 늦은 밤 학원가 도로에는 자녀 픽업을 위한 자가용이 넘쳐난다.

학생들 뿐 아니라 도전 의식은 뒤로하고 안전하고 안정적인 삶을 위해 공무원이 되고자 노량진에는 취준생이 넘쳐나고, 고시촌에는 단 한 방에 인생 역전을 노리는 고시생들로 넘실거린다.

더 큰 문제는 그 누구도 브레이크를 밟아주고 핸들을 틀어 올바른 방향으로 바꿔주려는 지도자가 없다는 현실이다. 대한민국 전체가 레밍쥐가 되어 절벽의 끝을 향해 질주하고 있다.

13억 인구의 인도도 대입 학원들이 밀집된 도시가 있을 정도로 입시 열기가 뜨겁다. 학생들의 대부분이 좋은 직장이나 신분 상승이 가능한 공대나 정보통신, IT 방면 진학에만 매달리고 있다고 한다. '코타'라는 도시에는 60만명 가운데 16만명이 입시생이라고 한다.

우리나라는 의대에 진학하기 위해 초등학생을 대상으로 한 '의대 준비반'을 운영하는 학원이 등장했다고 한다. 초등학생이 고등학교 수학 문제를 풀어야 입학이 가능한 이 학원의 경쟁률이 10대1에 해당한다고 한다. 공부문맹의 끔찍함을 보여준다.

우리는 다양한 분야를 지향하는 선진국의 교육을 따를 것인가, 인도와 같이 '공대'에만 집중되는 후진국의 교육을 따라야 하는가? 이미 우리는 교육 후진국과 같은 길을 가고 있다.

자본주의 국가가 아닌 공산주의 국가 중국도 사교육의 열기가 엄청나다고 한다. 중국은 지도자층이 정신을 차리고 전면 사교육을 금지했다고 하는데, 우리나라는 그런 올바른 결정을 할 수 있는 지도자가 있을까? 중국은 공자를 잊었지만 우리는 공자를 잊지 못하고 있다. 중국은 공부문맹에서 벗어나려 하지만, 우리는 계속해서 머무르려 한다.

■ 시험 천국, 공부문맹 국가

전 국민은 시험 중독자

경쟁과 서열화에 세뇌된 선생님

선생님은 1등급 보다 더 쎈 100점이 필요하다

서열화에 뛰어 들어야 교장이 된다

선생님의 서열화로 교단에는 스승이 없어지고 있다

질문 없는 학교 질문 없는 사회

학교는 잠 들었다

전 국민은 시험 중독자

우리나라에서 태어난 사람은 시험으로 시작해서 시험으로 생을 마감한다 해도 과언이 아니다. 타인의 눈을 의식하도록 가르침을 받았기에 생활 자체가 시험이다. 말귀를 알아들을 수 있는 시기부터 눈을 감는 순간까지 생활 속에서 시험에 든다. '이거 하면 안 된다, 저거 하면 안 된다, 남에게 이리해서는 안 된다, 저리해서는 안 된다' 등등 타인의 '눈치를 보는 것'이 시험과 같은 것이다.

'생활 시험'이 아닌 '공부'라는 이름으로 시작되는 '시험'이 학교에 들어가는 순간부터 시작된다. 영어 유치원에 입학하는 아이들이 레벨 테스트를 하기도 하지만 유치원은 제외시키고 일단 초등학교 입학이 시험의 시작점이다.

이때부터 가족 모두의 관심을 시험 '점수'에 집중시킨다. 학부모도 지난 수십 년간 시험의 유경험자이기에 시험에 대한 공감대 형성이 매우 빠르다. 공부 잘하는 자녀, 공부 잘하는 학생의 판가름이 시작되는 시점이기에 매우 매우 신경이 예민하다. 가정에서는 간단한 학습지로 매일매일의 시험과 즉각적인 시험 성적이 발표된다.

인터넷 학습의 발달과 학원의 발빠른 행보는 시험을 통해 부모들의 자녀 공부 잘함 여부에 대한 궁금증을 빠르게 해소해

준다. '시험 잘 보면 공부 잘하는 것'으로 동의어가 확실히 형성되어가는 출발점이다. 학교에서 서열화, 점수화 최소에 신경을 써도 부모들은 이미 학교 밖을 통해 자녀의 시험 성적, 공부 성적을 짐작하고 있다. 자녀 진로(進路)가 아닌 진학(進學)에 대한 로드맵을 결정하는 출발점이기도 하다.

초등학교보다는 중학교가, 중학교 보다는 고등학교의 시험 횟수와 시험의 강도가 대학 수능과 내신 성적을 위해 점점 높아진다. 개구리가 찬물의 비이커에 있을 때 알콜램프로 서서히 가열하기에 따뜻해지는 온도에 적응하다가 삶아져서 죽는다는 '개구리 중탕'처럼 청소년들이 시험 준비하기 위해 하는 것만이 공부라는 공부문맹으로 젖어 든다. 대학 진학에 실패한 학생은 반수, 재수, 삼수, N수를 하며 '공부 실력'이 아닌 '시험 보는 실력'을 더욱 갈고 닦는다.

내신과 수능 1등급 컷을 위한 학창 시절의 시험이 공부라는 공부문맹은 성인이 되어서도 전혀 흔들림이 없다. 대학에서는 직장에 취업하기 위해 컴퓨터 혹은 전공과 관련된 자격증 시험, 종류가 대단히 많은 영어능력 시험 등 스펙을 쌓기 위한 시험을 스스로 찾아가야 한다. 재수를 위한 반수를 선택한 학생은 학원과 학교의 강의 및 시험을 병행한다. 타 대학 진학을 위한 편입학 시험, 대학에서의 중간고사 및 기말고사 등 대학 생활은 종류가 더 다양해졌을 뿐 고등학교와 다름없이 배운 것을 암기해서 확인하는 시험의 연속이다. '대학 가서 미팅할래, 공장 가서 미싱할래'라는 고교 시절의 급훈은 대학에 와서 '00으로 취직해서

00할래, 00으로 취직해서 00할래'라는 단어만 교체된 표어로 바뀌었다는 사실을 알게 된다.

대학에 진학을 안 한 경우에도 직장에 취업하기 위해 필요한 시험의 길이 너무도 광대하다. 학생 시절에 시험에 매달리며 '공부, 공부'했던 것이 절대 끝나지 않고 사회에서도 시험이 공부라는 이름으로 따라다닌다.

대학을 졸업 후 혹은 고교 졸업 후 공무원 시험이 문전성시를 이룬다. 관직에 오르는 것이 안정된 삶임을 수백년 동안 지켜봤기에 수백대 일의 경쟁률 속에 뛰어들며 시험 궤도에 진입한다. 취직 시험도 대기업 중심의 시험으로 역시 경쟁률이 굉장하다. 중소기업 취직은 실패자로 생각되는 문화에서 개업이 아닌 스스로의 아이디어와 도전 정신으로 만드는 창업은 꿈도 꾸지 못한다.

취직하면 시험이 끝이 날까? 절대로 아니다. 승진시험은 출세와 봉급, 비행기 좌석, 자동차 렌탈, 은행 대출 등등 사회적 대우 수준이 차이가 난다. 학창 시절의 시험은 오로지 학교만 다니면서 치르지만, 직장 생활 마치고 피곤한 몸을 이끌고 학원을 다니며 수험 생활해야 하는 이중고를 이겨내야 한다. 4당5락과 N수는 학교를 졸업한 이후에도 적용된다.

학생들은 선생님들은 시험 안 보고 문제만 출제하면 된다고 부러워한다. 학생들에게 위로가 될지 모르지만, 선생님들도 학생 못지않게 수많은 시험이 기다린다. 학생들은 내신 1등급, 수능 1등급 컷이지만, 선생님들은 1등 그리고 100점이어야 한다. 제자들보다 시험 경쟁과 서열화가 더 격렬하다.

'시험 보는 전문가'가 되더라도 자아실현을 이루고자 하는 자기 주도적인 삶을 산다면 좋겠지만 그럴 가능성은 매우 희박하다. 자아실현은 '생각하는 사람', '자신을 존중하는 사람'이 갈 수 있고 가려고 하는 길이다. 경쟁과 서열화에 휩싸이다 보면 그런 존재감 있는 인간으로 성장하기가 매우 힘들다.

시험의 늪에 빠진 대한민국은 생각하는 힘이 부족하기에 의사라는 직업, 변호사라는 직업 등 빠른 시간내에 레드오션이 될 길로 가고 있다는 것을 이해하지 못한다. 챗GPT의 등장과 빅데이터에 기반을 둔 인공지능 AI의 발전은 그런 분야를 빠른 속도로 인간이 아닌 다른 존재로 대체한다. 택시 기사 직업이 자율주행차의 등장으로 위협받고 있다는 사실을 매체에서 보고 들으면서도 자신이 가고자 하는 직업과의 관련성에는 관심을 두려 안 한다. 생각하는 힘이 시험으로 노쇠해지고 부족해져서 그렇다.

생각하는 힘, 창조적인 힘은 서열화, 경쟁화가 아닌 협업과 자신이 주인인 긍정적 정서의 소유자가 가질 수 있는 자산이다. 옳고 그른 방향에 관계없이 남들이 하는 것을 함께 할 때 편안함을 느끼는 매슬로우의 5단계 중 3단계 소속의 욕구에 머물고 있다. 시험을 치르면서 자신은 무언가 노력하고 있다는 의미를 부여하고 스스로 위안 삼는다. 대한민국은 공부문맹으로 인해 시험 보는 전문가를 양성하고 있다.

경쟁과 서열화에 세뇌된 선생님

-'경쟁과 서열화의 공부문맹 선생님은 공부문맹 학생을 낳는다.' 교직에서의 공부문맹으로 인한 경쟁과 서열화는 시험 천국의 대한민국 곳곳에서 일어나는 현상으로 어느 분야에서나 대동소이할 것이다. 교직을 참고로 한 것일 뿐이다-

"홍선생은 학생 간의 경쟁과 서열화는 올바른 교육 방향이 아니라고 교육청 공문을 통해서, 그리고 각종 연수에서 서열화의 폐해에 대해 들었다. 그런데, 선배님들은 매일매일 점수에 대해 고민하신다. 연수성적 100점 만점을 위해 어떤 연수를 어떻게 준비해야 하는지, 교감 자격연수에서 점수가 몇 점인지, 교장 발령 성적이 몇 등인지, 온통 점수와 등수 이야기다. 학생들에게 시험도 보지 않게 하는 것이 옳다는데, 선생님들이 학생보다 더 심한 경쟁을 하고 있으니 어찌된 일인지...."

(아래 내용은 최근의 서울시교육청 승진 체계임을 밝힙니다. 이글로 인해 진정으로 학생 교육에 매진하며 어려운 환경 속에서도 승진을 통해 교육 발전에 힘쓰신 분들에게 누가 되지 않기를 희망합니다.)

묵묵히 사도의 길을 걷는 선생님들이 많다는 것은 우리 사회의 밝은 미래이다. 6.25 전쟁으로 폐허가 된 조국에 한강의 기적을 일으킨 힘에 선생님들의 역할이 지대했음을 국내외에서 익히 알고 있다. 국가의 위기를 극복하고 더 나은 미래 교육으로 향하는 지금 학생들에게 공부는 지덕체를 함양하는 전인교육이라고 힘주어 말 못하고 있는 안타까움이 넘치고 있다.

시험이 공부가 된 지금의 현실에서 선생님들의 책임이 아니라고 할 수는 없다. 공부가 시험 보기 위해 준비하는 것은 공부의 극히 일부분만이라고 세상을 설득했어야 했다. 하지만 거대한 파도가 쓰나미처럼 밀려오는 것을 어떻게 막아낼 수 있겠는가, 국가 전체가 시험으로 이루어졌는데 시험이 공부가 아니라고 학생들에게 말하는 것은 손바닥으로 하늘을 가리는 것과 같지 않은가?

선생님들도 '시험'이 공부라는 유구한 세월의 환경에서 성장했기에 공부 열심히 해서 시험 잘 본 죄(?) 밖에 없다. 그러기에 선생님들은 모범생(模範生)이지 모험생(冒險生)이 될 수 없다. 시험이 공부라고 내면에 습(習)이 되어 시험이 공부라는 것에서 탈피할 수 있는 힘을 선생님들이 갖기는 매우 어렵다.

대한민국의 현실을 통찰하고 변화하는 미래의 인재상을 위한 공부의 어젠다(Agenda)를 제시할 수 있는 지도자가 절실하다. 시험보다는 다른 방법으로 사람을 뽑는 사회 시스템으로 변화시킬 국가 차원의 어젠다가 우선이다. 미국 등 많은 국가에서 활용하는 인터뷰를 통한 선발, 독일의 고교졸업시험 아비투어 등 세계에서 활용되는 제도를 통한 개선 등을 참고해야 한다.

흔들리는 난파선 같은 세상에서 침몰 되지 않게 자신의 역할에 충실한 선생님들은 시험이 공부가 된 것에 대해 죄 없다. 선생님들의 애정과 성실 속에서 학생들도 시험이 공부라는 사실을 받아들일 수밖에 없었다.

의무교육으로 국민 학업의 적정 수준을 챙겨야 했던 시기에는 성적으로 학생들의 도달도 측정이 중요했다. 선생님들은 학교 현장에서 최선의 역할을 했기에 최대의 효과를 낼 수 있었다. 국민의 계몽과 평균적인 인재 육성에 지대한 공을 세웠는데, 4차 산업혁명의 지금에는 창의성과 자기주도적인 학습이 매우 중요한 시점으로 지금까지의 역할로는 한계성에 직면해 있다.

대한민국은 격변하는 세계에서 개개인의 특성에 맞추는 교육을 강조하며 미래 인재를 키워내고자 힘쓰고 있다. 하지만 시험이 공부라는 원천적인 고름, 시험이 공정한 세상을 만든다는 착각의 심연을 짜내지 않고서 상처 위에 연고를 바르고 붕대로 가리는 치료법은 병을 더욱 악화시킬 뿐이다. 임기응변적인 대처는 더욱 경쟁과 서열화에 불을 붙이고 말았다.

숲을 보지 못하고 나무만 보는 통찰력 부재는 학생을 가르치는 학교 현장의 교직 문화에 경쟁과 서열화가 만연된 슬픈 자화상이다. 학생들의 서열화가 교원들 사이에서도 더욱 치열하다. 선생님들의 미미한 힘만으로 공부문맹을 이겨낼 수 없지만, 학생 교육의 일선에 있는 입장에서 그 폐해 개선을 위한 노력보다 오히려 앞장서고 있다.

공부는 시험 잘 보기 위해 하는 것이라는 의미가 교직 문화에도 뿌리 깊이 내린 것은 '내로남불'의 천박한 표현 뒤에 숨는 것보다 학생들, 더 나아가 대한민국의 건실한 성장을 위해서 우리는 심각하게 교직의 서열화 실태를 스스로 되돌아봐야 한다. 우리 선생님들의 내면 깊숙하게 숨어 있는 자정력(自淨力)은 반드시 발휘될 것이다. 그러기 위해 현재 상황을 스스로를 뼈 때리는 심정으로 살펴봐야 한다.

서열화가 필요한 곳은 성과금 지급을 위한 정량 및 정성 평가, 학년 배정을 위한 점수제, 부장을 누구도 맡지 않으려 하기에 부장 순환을 위한 점수제, 근무성적평정, 각종 연수 성적, 경력 점수, 승진 규정 등이 있다. 그중에 교원 승진에 대한 서열화를 이야기하고자 한다.

선생님은 1등급 보다 더 쎈 100점이 필요하다

-시험이 공부라는 공부문맹의 험난한 세상에도 스승이 되고자 하는 선생님들이 많다는 것은 대한민국의 힘이다-

한 기관의 대표 관리자인 교장이 되기 위해 거쳐야 하는 길목인 '교감'이 되기 위해서는 크게 세 가지 방법이 있다.

첫째는 교육청 장학사로 5년 내외의 근무 경력 후 교감이 되는 방법이다. 학부모, 지역사회, 학교, 상급 기관 등으로부터의 온갖 민원과 퇴근 시간과 휴일도 반납하는 격한 업무를 감당해야 한다.

서울대 출신이 대한민국을 사실상 좌지우지하듯이 장학사는 교직의 카르텔로서 존재하는 집단으로 교직의 문화, 교직의 승진 제도를 이끄는 실세이다. 1970~80년대 교직 선배들이 '교직의 깡패'라는 극단적인 표현으로 부르기도 했다고 한다. 일선에서는 교감 출신을 구분 지을 때, 장학사 출신의 교감을 '육군 사관학교' 출신 교감이라 부른다. 군대조직에서 정통성을 지닌 장교와 같이 풍자되었기에 붙여진 것이다.

장학사의 선후배 관계는 복잡하다. 대학은 후배인데 장학사가 먼저 되었을 경우 장학사라는 직으로서의 선배로 깍듯하게 대해야 한다. 또한 장학사도 다 같은 레벨의 장학사가 아니다. 장학사가 된 순서보다 더 앞서는 순위가 있으니, 바로 교원의 인사발

령권을 가진 (구)교원정책과에 발령된 순서이다. 교직의 서열화, 회전문식 인사문화를 이룬 집단이라는 평판은 수평적 문화가 절실한 교직에 매우 안타까운 점이다. 거대한 카르텔 속에서 뛰쳐나와 장학사로서 본연의 업무인 현장 지원에 힘쓴 이가 있더라도 그 영향력은 미미하다.

장학사의 길은 개인의 여유로움을 포기하며 현장 평가를 염두에 두고 남의 눈치를 더욱 살피는 착한 선생님(?)으로 수년간 수험생의 길을 걸어야 한다. 가정생활에서도 아내 혹은 남편, 자녀의 동의를 얻고 시작해야 할 정도로 수험생으로서의 고난의 시간이 필요하기에 소수의 교원이 선택하는 프로세스이다.

현장 지원의 역할이 주요 업무이기에 현장의 목소리, 현장의 평가가 절대적이다. 아무리 훌륭한 교육자이고 유능하더라도 착하지(?) 못하고 업무적인 면에서 누군가와 얼굴 붉히고 다툼이라도 생기면 인성 나쁜 교사가 되어 현장 평가에서 낮은 점수를 받아 낙방할 수밖에 없다. 얼굴 붉히는 경우는 대부분 학교 일을 하는 과정에 업무를 안 맡으려는 타 교원과 의견 충돌이 생기는 확률이 높을 수밖에 없다. 그러기에 자신에게 적당한 것 보다는 조금 많은 업무를 지혜(?)롭게 담당하여 수험생활을 유지하며 인기 관리(?)해야 한다. 과거에는 응시자와 같은 학교 근무하는 직원(현재 학교, 과거 직전의 2개 학교)과 심지어 학부모에게 전화하는 전화 평가가 제일 무서운 관문이었다.

이런 프로세스를 만든 사람이 교직의 기득권을 쥐고 있는 조선시대 주류의 유림과 같은 장학사 출신이다. 교직을 수행하는 모든 순간을 시험으로 만든 것이다.

장학사가 된다는 것은 현장 평가가 있기에 교직 생활 자체가 시험이며 소위 학생들처럼 보는 시험이 만만치 않다. 현재는 장학사 시험 절차와 과목이 많이 축소되어 수험생활의 부담이 다소 줄어들었다. 몇 년 전에 최종합격자 선발을 위해 1.5배수의 대상자를 추려서 1~2주 합숙하며 매일매일의 테스트와 동료평가의 살얼음판 과정을 거쳤다. 합숙 기간 내내 시험으로 옆의 동료가 떨어져야 자신이 붙는다. 여전히 제일 염려되는 테스트는 응시자가 어찌할 수도 없는 전화로 하는 현장 평가이다. 응시자가 관여할 수 없는 부분이며 평가자가 전권을 쥐고 있는 평가이기 때문이다. 앙심을 품는 사람을 만들어서는 절대로 안 된다.

폐지된 과목은 장학사로 근무하는 동안 한 번도 사용하지 않는 영어로 TOEIC, TEPS 성적에 따라 가산점이 주어지는 영어 점수가 대표적이다. 기존의 것을 바꾸지 못하는 관행이 팽배한 사회에서 영어 과목을 폐지하는 결단을 내리기가 쉽지 않았을 것이다. 두 번째로 폐지된 것은 간단한 기능만 익히면 장학사로서 근무하는 데 전혀 지장이 없는 1, 2, 3급 등급에 따라 가산점이 부여되는 엑셀·데이터베이스와 워드프로세스의 자격이다. 영어와 컴퓨터 자격증은 장학사 시험을 보기 위해서 수년간 사전 준비기간이 필요했다.

대표적으로 두 분야가 폐지되었음에도 1, 2차에 걸쳐 이루어지는 논술평가, 서술평가, 면접평가, 실기평가, 서류평가, 현장평가 등의 시험은 여전히 묵직하다. 이외에도 현장에서의 부장 경력과 각종 연구대회의 점수, 근무성적평정 점수가 가산점으로 적용됨은 일반 교사의 교감 승진 요건과 비슷하다. 학생의 꿈과 끼를 키우는 데 앞장서야 하는 위치에서 고등학생의 수능시험 그리고 각종 고시와 버금가는 서열화가 행해지는 이율배반적인 현실이다.

교감이 되기 위한 두 번째 프로세스는 직·간접적으로 학생을 지도하면서 교감으로 승진하는 경우가 대부분이다.

20~30년 교직 경력 중 10년 이상의 시간과 노력이 필요하다. 과중한 업무 및 부장 등 학교의 중추적인 역할을 한 선생님들이 '교감이 될 수 있는 연수'를 받을 자격을 부여받는다. 기나긴 세월 동안 학생 교육과 더불어 행정 업무에 헌신과 봉사하였기에 교감이 되기에 인성과 업무능력 등이 충분히 검증된 선생님들이다. 그럼에도 불구하고 '교감 자격연수'를 받기 위해서는 참으로 많은 조건이 필요하다.

개략적으로 본다면 대학원 학위 취득은 필수이며, 1급 정교사 자격연수 성적, 각종 연구대회에서 입상한 가산점, 부장 경력 점수, 연구학교 운영 및 교육력제고 입상 가산점 등까지는 개인의 노력으로 가능한 부분이다. 주의할 점은 교직 경력 3~5년만에 받는 1급 정교사 연수성적이 중하위권인 경우는 교감 승진은 꿈도 꿀 수 없다. 이 과정까지는 스스로의 노력으로 일정 조건 이상을 갖출 수 있다.

하지만 교감 연수에 뽑히기 직전 근무성적평정 5년 중 최소 3년간 100점이 있어야 한다. 무조건 100점이어야지 99점은 '교감 자격연수'에 선발되기가 거의 불가능하다. 받아쓰기 시험에서도 100점 맞기도 쉽지 않은데, 소속 학교에서 수년간 위로는 교장, 교감을 모시고(?), 아래로는 동료들을 모셔야(?) 1등급도 아닌

1등인 100점을 맞아야 하는 선생님의 스트레스가 이만저만이 아니다. 근무성적은 학교의 교원 수에 따라 점수화하는 것으로 소수 넷째 자리까지 세분되어 있다. 모든 점수를 합산해서 상위에 속한 선생님들을 대상으로 다음 학년도 교감 발령 필요 수요보다 더 많게 '교감 자격연수' 받을 선생님을 뽑는다.

치열한 서열화는 교감 자격연수 기간에 더욱 가속화된다. 교감 자격연수 수료 성적이 '교감 발령순서'에 지대한 영향을 미치기 때문이다. 개인 연구 보고서 점수, 분임 연구 보고서 점수, 연수 기간 동안 학습한 내용에 대한 객관식 시험, 주관식 시험, 지각·조퇴·결석 등의 근태 점수 등이 있다. 상대평가와 절대평가로 이루어졌지만, 최종적으로 모든 평가 점수를 바탕으로 80점에서 100점 사이의 정상 분포 곡선에 의해 점수를 부여하기 때문에 결국은 상대평가이다.

교감 자격연수 동료가 지각·조퇴·결석을 할 때 병환이나 사고 등에 대한 걱정과 연민의 정을 품을 수가 있을까? 성적 챙기기에 바쁘고 높은 점수 획득을 위해 스터디그룹을 조성하곤 한다. 어떤 선생님들은 연수원 출퇴근 시간을 아끼기 위해 인근 오피스텔을 얻어 투숙하며 높은 점수 받기 위해 온 힘을 다한다. 옆의 선생님이 협조자가 아닌 경쟁자요, 옆에 있는 동료가 동업자가 아닌 앞서야 하는 대상인 것이다.

교감 승진의 세 번째 방법은 '교대·사대 부설초등학교에서 근무할 경우이다. 부설초등학교 근무는 장학사가 교감이 되기 위해 받는 가산점과 동일한 점수를 받는다. 일반 공립초 교원이 역시 '시험'을 통해서 근무할 수 있는 학교이다. 두 학교는 가끔 신문과 방송에 나오거나 공공연히 알려진 바로 당해 학교 교원 간 군대식의 엄격한 상하관계가 존재한다.

장학사의 문화처럼 대학의 선후배와 심지어는 유학의 전통인 연장자 문화도 사라지고, 오로지 그 학교 근무 순서로 선후배가 다시 정해지며 부설초 출신이 이루는 카르텔은 현재 행해지는 교장공모, 교원 인사권에도 영향력을 미친다. 초등학교 교과서를 비롯한 교육과정을 개발하며 학교의 미래 교육을 선도해야 하는 학교가 상명하복의 위계질서 집단으로 되는 것은 참으로 아이러니하다.

교감 선생님이 된다는 것은 쉬운 일이 아니다. 어렵게 1차 관문에 들어온 선생님은 모두가 교감 선생님이 될 가능성이 거의 100%에 가깝다. 징계나 건강상 등 일신상의 문제가 생기지 않는다는 조건에서 말이다.

그럼에도 불구하고 '교감 자격연수'로서 서열화의 끝이 아니다. 교감 자리에 비해 많은 수가 '교감 자격'을 취득했기에 교감 자격 취득자를 대상으로 '교감 발령순서'를 위해 해마다 서열화를 다시 실시하기에 근무성적평정 및 연구점수 등 시험에서 해방될 수 없다.

학창 시절 공부 잘한(국영수 시험 잘 본) 선생님들이 경쟁의 테두리에서 벗어나지 못하는 현실은 학생의 서열화에 고스란히 투영되는 것이다.

서열화에 뛰어 들어야 교장이 된다

교장 선생님이 되는 두 가지 길이 존재한다.

첫째는 교감을 거쳐서 교장이 되는 길이다. 교장이 되기 위한 새로운 경쟁, 새로운 서열화, 그에 따른 시험이 필수적으로 다시 시작된다. 교감이 되면 컨베이어 벨트에 올라선 것과 같아 일정한 조건을 갖추면서 세월이 흐르면 누구나 교장이 될 수 있어 교감으로 승진되는 것보다는 다소 간편하다.

하지만 결코 녹녹하지 않다. 자신의 노력과 관운(官運) 등에 의해 같은 교감 경력으로도 교장이 되는 데 몇 년의 차이가 생기기도 한다. 대부분의 교감이 가산점을 자신이 준비할 수 있는 부분을 스스로 준비하니, 경쟁의 새판이 시작된다.

학교의 온갖 궂은일을 도맡아 하는 교직의 3D 업종이라 칭하는 교감은 교장의 관문이기에 어쩔 수 없이 거치는 과중한 업무와 정신적 스트레스가 크다. 하루가 어떻게 지났는지도 모르는 업무를 수행하면서 가산점을 준비해야 하니 심신의 피로도가 높다. 하지만 가산점에 의해 교장이 될 수 있는 '교장 자격연수'에서 넋 놓고 있어서는 순서에서 밀린다.

교사에서 교감이 되기 위해 취득했던 대학원 나온 석사학위는 교감 자격연수에서 가산점으로 사용했기에 '교장 자격연수'에 뽑힐 가능성을 높이기 위해 '대학원을 하나 더' 수료해야 한다. 대부분의 교감이 석사학위를 하나 더 취득하기에 대학원을 하나 더 나오지 않은 교감은 '교장 자격연수'에서 순위가 밀릴 수밖에 없다.

이외에도 동료와 경쟁해야 하는 시험의 연속이다. 100점짜리 직무연수 성적은 필수이며, 교육력제고 등 연구대회에서 입상해야 가산점이 쌓인다. 각종 가산점과 근무성적평정 점수에 따른 서열화 과정에서 높은 점수의 교감이 '교장 자격연수자'가 될 수 있다. 인사권을 갖은 지역교육청(서울 11개 교육청)마다 '교장 자격연수자' 선정에 대한 평정척도가 자로 재듯이 동일하지 않은 것이 교장이 되기 위한 관문에 커다란 걱정 요소로 작용한다.

근무하는 소속 학교의 교장 선생님과 지역교육청에서 부여하는 근무성적평정 점수는 '교장 자격연수'에 절대적인 영향을 준다. 교감이 되면 저절로 될 것 같은 교장이 되는 길도 결코 쉬운 길이 아니다. 근무성적평정 점수는 교직 생활 자체가 시험이라는 것을 전술(前述)한 바 있다.

'교장 자격연수'에서도 개인 연구 보고서, 분임 연구 보고서, 근태 성적, 논술시험을 통해 상대평가로 서열화하여 점수를 부여한다. 최종적으로 각각의 교육청에서 부여한 근무성적평정 점수와 그동안에 축적해온 점수 등을 고려해서 서울시교육청 전체의 발령순서를 정한다. 교장 자격연수를 받고 발령이 나지 않은 교감은 다음 연도에 교장 자격연수를 받은 교감 선생님들과 섞여서 순위를 다시 결정한다.

둘째는 평교사에서 바로 교장이 되는 경우이다.

'교장공모제' 중 평교사도 공모에 참여할 수 있는 학교에서 교장이 되는 것이다. 무한경쟁의 시험 등을 통해 서열화하여 승진하는 교직 문화에 새바람을 불어 넣어 줄 수 있는 새로운 제도로 볼 수 있다. 하지만, 이 제도는 특정 교직단체의 교장 몰아 주기(?)의 폐해를 낳고 있다. 전교조 교사 혹은 전교조가 지지하는 지원자는 무조건 교장이 된다. 일반 교사들이 교감의 직(職)을 심신이 피로한 3D업종으로 생각하며 교감, 교장 승진의 길을 포기했지만, 전교조 교사는 교감을 안 거치고 바로 교장이 될 수 있다.

이 길을 통해 교장이 된 사람들은 교육부에서 만든 지침에 의하여 공정하게 경쟁을 거쳐 교장이 된다고 하지만 일선의 어떤 선생님도 그들의 말에 신뢰를 보내지 않는다. 자신들이 지지하는 사람을 교장으로 만든다는 것을 교육 현장은 알고 있다.

평교사로 근무하다가 교장이 된 경우 교장 임기가 끝나고 평교사로 복귀함이 원칙이었을 때, 평교사로 복귀한 전교조 교사가 없다. 원칙을 지키지 않고 교육청 및 교육청 산하 기관의 요직에 앉아 있기에 서열화의 경쟁을 치열하게 치룬 교감·교장을 허탈감에 빠지게 한다. 그들이 차지한 교장과 교육청의 보직 숫자만큼 교장 자격을 가진 교감 선생님들이 교장 발령순서에서 밀린 것이다.

더 안타까운 것은 성실히 근무하는 교원들에게 무원칙이 존재하는 교직 문화로 그들의 교육적 열정을 떨어트린다는 것이다.

선생님의 서열화로 교단에는 스승이 없어지고 있다

-교직의 문화 전반이 사회에서처럼 서열화하는 곳이다. 교직의 관리자들이 '스스로의 서열화'에 뛰어들면서 어찌 학생들의 서열화 경쟁, 국영수 시험 잘 보는 경쟁에서 벗어날 수 있게 하겠는가?-

청소년단체가 학교마다 최소 1개 이상 운영되던 시절에 교사 초임 발령과 동시에 청소년단체 대장을 맡는다. 여자 선생님 보다 턱없이 숫자가 적은 남자 교원(2023년도 10% 정도)은 선택의 여지가 없고 여자 교원은 개인 취향과 상황에 따라 다소 유동적이다. 교직에 첫발을 들이고 쉼 없이 청소년단체 대장의 경력을 이어오는 교원들은 시험이 공부라고 통용되는 현실에서 다소 다른 방향으로 쳐다본다.

학생들이 공부라는 미명(美名)하에 국영수 시험 경쟁에 내몰리는 안타까운 현실에서 학생들에게 한 줄기의 오아시스가 되고자 텐트 들고 산과 들로 야영 다니는 수고를 보람과 뿌듯함으로 이루어온 선생님들이다. 그런 선생님 대부분이 학교의 중추적인 역할까지 수행했기에 동료들은 감사함과 미안함을 간직하며 지냈다. 지금도 교육 경력이 높은 교사들은 그 느낌을 기억하고 있다. 그런 선생님들에 대한 추억이 교직에서 희미해질 정도로 안타까운 세월이 흘러가고 있다.

학업과 성적에 찌든 학생들이 대자연 속에서 호연지기를 기르며 큰 인재로 성장하는 데 일조하고자 운영했던 스카우트, 아람단, 해양소년단, 우주소년단 등의 청소년단체가 학교에서 서서히도 아닌 급격히 사라진 이유가 무엇일까?

대한민국 사회 전체에 흐르고 있는 서열화 경쟁을 교직에서도 뿌리내리며 치열한 경쟁의 환경으로 바꾼 것이다. 교직에 대한 내재적 동기유발이 아닌 점수제에 의한 외재적 동기유발 시스템이 공정이라는 미명(美名)하에 전격 도입된 것이다.

점수제와 서열화의 적극적인 도입 전에는 자신의 인생관과 교직관에 의해 평교사로 퇴직하는 것과 교장 등으로 퇴직하는 것에 대해서 선택적인 사항이었다. 담임교사로서 학생들과 밀착된 최일선에서 접할 수 있는 평교사로 퇴직하는 것을 자랑으로 여기는 선생님들도 많았다.

1년에 수십 명의 제자를 키우는 것이 가장 큰 보람이라고 여겨 교직에 대한 높은 자부심으로 '노블레스 오블리주'보다도 더 높은 도덕적 책무를 가지고 열정을 토해낸 분들이다. 학생과 학부모, 후배 교사들은 그런 선생님들을 존경과 존중의 마음으로 따르며 학교에 대한 신뢰도가 매우 높았다.

학생 평가와 등수에 따른 내신 등급제와 같이 교직의 점수제와 서열화의 적극적인 도입은 교직을 노골적으로 승진 가산점 챙기는 문화로 만드는 불상사가 생겼다. 절대평가가 아닌 줄세우기식의 상대평가로 서열화하는 문화가 교직에 뿌리를 깊이 내리기 시작했다. 자녀들의 좋은 대학 진학을 위해 스펙과 성적을 쌓으려는 소수의 극성 학부모들의 열띤 경쟁이 결국은 보통의 학부모도 경쟁의 고속도로에 올라설 수밖에 없게 된 것처럼 교직의 소수가 아닌 보통의 선생님도 스펙과 성적 쌓기로 변화되었다.

시험과 경쟁이 진정한 공부가 아니라는 신념으로 학생들을 지도했던 선생님들이 청소년단체 대장직조차도 가산점의 도구로 전락하자 청소년단체에 관심이 없었으나 가산점이 절실히 필요한 선생님들에게 자리를 넘겨주며 경쟁의 소용돌이 속에서 조용히 물러났다.

학생들이 경쟁의 터널에서 잠시나마 빠져나와 대자연 속에서 살아가는 방법과 옆의 동료들과 도우며 생존하는 방법을 배웠던 청소년단체는 더 이상 존재할 수 없어졌다. 그런 프로그램을 운영할 수 있는 다져진 능력과 높은 열정을 가진 선생님들은 흔치 않기 때문이다.

청소년단체 혹은 학급을 대상으로 야영수련 활동을 하고 싶은 마음이 있는 선생님이 있다 하더라도 전문성과 더불어 자신의 시간과 노력이 막중하게 필요했기에 선불리 도전하기가 두려운 부분이었다. 텐트 생활 등을 하며 시험의 스트레스를 풀던 친구들이 열정과 전문성의 청소년단체 선생님이 떠나고, 다른 선생님들로 바뀌며 활동 프로그램이 견학 및 체험 위주의 '현장체험 학습'이 되자 학생들도 떠났다. 대자연의 야영 생활에서 친구들과 땀 흘리며 공동체 의식의 진정한 의미를 깨우치던 학생들, 국영수 시험의 공부문맹을 거부하려던 아이들이, 시험과 성적 속에서 오아시스 역할을 하려던 선생님들이 청소년단체를 떠나면서 함께 떠난 것이다.

요즈음 교직에서 찾아볼 수 없는 선생님들이 또 계신다. 학교 운동부를 지도했던 선생님들이다. 학생들의 진로 개발과 건강한 신체 형성을 위해 뙤약볕과 비바람 속에서도 운동장에 서 계셨던 수많은 선생님들도 서열화의 희생양 속에서 서서히 사라졌음은 물론이다. 국영수 시험 잘 치게 하는 교사가 유능한 교사, 대학 진학을 잘 시키는 시험 잘 보는 기계를 양성하는 교사가 훌륭한 평가를 받는다는 사실은 진정한 공부를 설파하려는 교사를 떠나게 하는 것이다.

'교포 교사'라는 말이 있다. 교장, 교감이 되기를 포기했다는 의미이다. 대기업에 입사하는 순간부터 그 회사의 회장을 꿈꾼다는 기업 문화에 비해 교직은 그 비율이 현저히 낮은 현실이다.

학생 지도에 열의가 있고 업무를 열심히 하면 승진하려고 그러는 거 아니냐는 색안경이 난무하고 승진의 마음을 먹으면 왠지 욕심 많아 보이는 문화, 열정적인 교사가 승진을 희망하지 않고 냉소적인 마음을 갖게 하는 문화. 엄청나게 점수 관리를 해야만 승진이 가능한 교직에서 학생 지도에 열정을 가진 교사는 그 경쟁에 뛰어들 여력도, 관심도 없는 것이다. 학생 서열화에 앞장서고 있는 현실에서 교사의 서열화가 교직 본연의 모습을 잊게 하고 있다.

보다 많은 선생님, 보다 많은 학생, 보다 폭넓게 교육적 영향력을 미치기 위해서는 장학사·교감·교장으로 승진해야 한다. 평교사로서 미치는 영향이 매우 크신 분들이 가끔은 계시지만 전반적으로 볼 때 승진을 하는 것이 많은 영향력을 나눌 수 있다. 그런데 승진에서 멀어질 뿐 아니라 명예퇴직으로 아예 교직에서 떠나는 선생님이 많다. 그분들의 몸만 떠난 것이 아니라 교단에서 학생과 후배 교사에 대한 참사랑, 참교육도 교단에서 떠나고 말았다.

"정작 떠나야 할 사람들은 남고, 그리고 교감·교장이 되고......"

청소년단체 유니폼이 어울렸던 선배님들이, 검게 그을린 얼굴로 운동장에서 호루라기를 불던 어떤 선배님들이, 새벽부터 저녁까지 합창을 지도하던 선배님들이, 먹물을 옷에 가득 묻히고 서예를 지도하던 선배님들이, 학력이 떨어지는 학생들을 나머지 공부 시켜가며 지도하시던 선배님들이 선술집에서 하는 푸념 섞인 개탄의 한숨이다.

경쟁과 서열화는 사람의 마음을 사지 못하고 올바름을 바라보는 시각을 눈멀게 한다.

질문 없는 학교, 질문 없는 사회

- 비행기에 탁구공이 몇 개 들어갈까?

취준생들에게 회자(膾炙)되는 입사 시험문제로 '구글'에서 '비행기 안에 탁구공이 몇 개 들어갈까?'라고 물었던 문제이다. 문제를 제시받자마자 한국 학생은 즉각 계산을 시작했다고 한다. 아마도 '케플러'가 '배에 최대 효율로 포탄을 실을 수 있는 방법에 대한 연구'에서 도출해낸 공식을 떠올려서 문제 풀이에 활용했을 수도 있다.

시험지를 받자마자 제한된 시간 내에 풀어내는 데 익숙하게 훈련이 된 우리나라 학생의 대응은 문제가 없어 보인다. 주어진 시간 내에 가능한 한 빠르게 정답을 찾아야 한다는 조바심으로 문제 풀이를 시작했을 것이다. 다른 나라 학생들은 '비행기 기종이 무엇인가? 탁구공의 크기는, 무게는? 그 비행기는 내부 부피가 얼마나 되는가?, 비행기에 왜 탁구공을 넣으려 하는가?' 등등의 다양한 질문을 했다고 한다.

면접관(평가자)에게 질문을 하다니 가당키나 한 일인가? 상상도 못 할 일이다. 목소리가 들리지 않았거나 정확히 들리지 않았을 때에도 '감점'될까봐 용기를 내어서 다시 문제를 알려달라고 하는 것도 쉽지 않은데 말이다. 또는 질문했을 때, '아니 그것도 몰라서 묻니, 말도 안 되는 질문을 하네, 그게 질문꺼리가 되니?'라는 핀잔을 들을 수도 있기에 더욱 꺼린다.

우리 학생들이 시험지 받고서 늘 하는 질문이 있다. "풀어도 되나요?" 연필 잡고 시험지와 답안지에 손을 대도 되냐는 질문뿐이다. 아주 간혹 시험지를 풀다가 '선생님, 17번 문제가 이상해요'라고 했다가는 선생님의 권위에 대한 도전뿐 아니라 시험에 집중해서 문제를 푸는 동료들로부터도 핀잔받는다.

수업 시간에 선생님의 일방적인 강의식 지식 전달이 대부분이다. 족집게로 유명한 어떤 선생님 수업에서는 수능에 기출된 횟수에 따라 중요도를 구분하기에 '빨간 볼펜, 파란 볼펜, 검정 볼펜'을 외치면 학생들은 책상 위에 준비된 볼펜을 골라 시험 '족보'를 받아적기도 하였다.

대한민국의 교실에서 오죽 질문이 없으면 '질문있는 교실'을 교육시책으로 내걸고 선생님들이 학생들에게 질문을 많이 할 수 있게끔 유도를 하기도 하였다. 안타깝지만 일회성의 이벤트로 끝났음은 물론이다.

질문(質問)은 '나로부터의 출발이다'. 대답(對答)은 '상대방으로부터의 출발이다'. 질문은 정답이 없는 확장성이다. 대답은 묻는 말에 답하는 것이다. 질문은 내가 주도적이고, 대답은 상대가 주도적이다. 질문은 적극성이요, 대답은 소극적이다. 질문은 능동적이요, 대답은 피동적이다. 즉, 질문은 자신이 주인이요, 대답은 자신이 주인이 아니다. 공부의 뜻, 학문(學問)의 뜻을 제대로 이해했다면, 우리는 학생들에게 '묻는 것을 배울 수 있게' 해야 한다.

학생에게 질문은 학생의 권리로 주어지기보다는 선생님의 허용적 분위기에 달려있다. 그만큼 교육에서 학생의 질문에는 소홀하다. 수업 목표 달성의 종착점은 성과주의요 시험 성적이다.

'질문있는 교실'을 선도하고 있는 연구교사의 수업을 참관한 한 교원이 이런 말을 했다. 수업을 발표한 교사는 온통 질문을 담은 수업을 했음에도 '이분은 질문없는 교실, 질문없는 수업을 하셨네요'. 학생들이 질문할 수 있도록 교사가 이끈 것이 아니라 교사가 무수히 대답을 요구하는 질문을 한 것이다. 교사에게 '질문있는 교실'이었지, 학생에게 '질문있는 교실'이 아니었다.

학생들의 질문이 넘쳐나는 것이 정상으로 여겨지지 않고 질문 없는 교실이 정상으로 보인다. 교사의 질문에 대답하는 학생도 학년이 올라갈수록, 학교급이 올라갈수록 현저히 줄어든다. 정답을 답하지 못하는 데서 오는 핀잔 혹은 두려움으로 손을 들지 않으니, 학생들이 수업 자체에 흥미를 잃게 되었다, 시험만 잘 보면 그만인 것이다. 시험이 공부이고 시험을 통해 서열화하는 문화에는 질문이 존재할 수 없다. 시끌벅적하고 활기차야 할 교실이 적막강산이다.

유대인처럼 가족 간의 대화의 장을 마련해줘야 한다. 식탁에 함께 앉아서 학교 다녀온 자녀에게 '오늘 학교에서 무엇을 배웠니?에서 무슨 질문을 했니?'로 변화해야 한다. '배웠니'는 주는 사람이 주는 대로 받을 수밖에 없다. 학생은 피동적인 존재로 자신의 주인이 될 수 없다. '질문'은 자신의 필요에 의해서 자신의 사고에서 발발(勃勃)되는 것이다.

우리 민족은 본래 호기심과 궁금증이 많아 우주 만물에 끊임없이 질문을 해왔다. 질문의 결과로 새로운 사실 발견과 새로운 물건을 만들며 문명을 꽃피워 왔다. 질문의 힘으로 수천 년 전에도 태양계의 다섯 개 행성이 한자리에 모이는 '오성취루'의 현상을 관측하는 등 천문학이 발달했고, 백성의 삶의 향상을 위해 한글을 만들었고, 모든 사람이 책을 읽을 수 있게 인쇄술의 기틀인 금속활자를 만들어낸 것이다. 새로운 것을 창조하는 것은 질문의 힘에서 나온다. 본래의 품성을 찾아야 한다. 우리는 질문이 몸에 밴 민족이다.

공부문맹이 '예스, 노우'를 묻는 단답형 질문을 만들었다.

학교는 잠 들었다

초등학교에서 중·고등학교에 올라가면 학년이 올라갈수록 교실에서 잠자는 학생이 늘어난다. 왜 학생들은 교실에서 잠을 자는가? 아래의 사례에서 그 이유를 찾아보는 것이 어떨까?

길동이는 옆 반과 축구 시합 생각에 기대에 차서 학교에 감
엄마는 시험이 언제인지 묻고 지난번보다 잘 보라고 함

길동이는 헤딩슛으로 멋지게 골을 넣은 것을 자랑하고 싶어 함
엄마는 수학 시험에서 하나 틀렸다고 아쉬워함

길동이는 이야기로 친구들을 웃긴 것이 매우 자랑스러움
엄마는 지난번보다 성적이 떨어졌다고 한숨 쉼

우리 학교 교훈은 지덕체이다. 창의적인 어린이, 인성이 훌륭한 어린이, 튼튼한 어린이라고 홈페이지에 쓰여 있다. 엄마가 공부 열심히 하라고 학교에 보내주시는데, 시험만 잘 봐야 공부 잘한다고 칭찬하신다. 축구 시합에서 이겨도, 친구들과 사이좋게 놀아도 공부 잘한다고 칭찬을 안 해주신다. 이상하다. 교훈이 잘못되었나?

선생님이 수업 시간에 이상한 질문을 하셨다. 학원 다니는 것이 돈이 많이 들까, 학교 다니는 것이 돈이 많이 들까? 아이들은 당연하다는 듯이 학원이요~~ 라고 답했다. 그런데 선생님은 아니야, 학교란다 하셨다. 왜지??

홍선생은 마음이 울적할 때나 곤란함이 있을 때 법륜스님 말씀으로 위안 삼는다. 그런데 공부 잘하고 못하는 이야기가 나오면 존경하는 법륜스님도 시험 만을 공부라고 생각하시는 것 같다. 국영수 시험 잘 보는 사람을 공부 잘하는 사람이라고 하는 거 같아 더욱 씁쓸해지곤 한다. 동학개미 운동의 선구자라는 존봉준(존리, 부자학교 대표)님도 공부 잘하고 못함을 국영수 시험으로 이야기하신다. 슬프다.

요즘은 학부모 상담주간이다. 길동이가 홍선생에게 조심스럽게 다가와 이야기했다. 아이들의 이야기를 잘 들어주며 모든 아이들을 공부 잘한다고 칭찬해 주는 선생님을 자기들 편이라고 생각하기에 용기 내어 말씀드렸다. 선생님, 우리 엄마가 공부 안 한다고 제 흉을 보면, 학교에서 즐겁고 신나게 지내는 것이 더 중요한 공부라고 이야기를 해주셨으면 해요.

영식이는 초등학교 2학년 때 부모님을 따라서 미국으로 이민 갔다. 친한 사이인 나와는 이메일을 주고받으며 가끔 전화 통화를 한다. 하루는 한동네에 사는 다른 나라 친구들 이야기를 해줬다.

학교 끝나고 나면 동네 스포츠클럽에 가서 신나게 운동하고, 주말에는 강으로 래프팅하러 다닌다고 한다. 영식이는 미국에서도 학원에 가고 과외 공부를 한다고 한다.

홍선생은 학교에서 자신의 멘토인 교감선생님이 미국 LA에서 한국계 미국인 교장 '수지 오'가 한 이야기를 해주셨다. 유대인 학부모는 전학 오기 전에 한참 동안 학교를 관찰하고 면담을 통해 수업 시간에 무엇을 가르치는지, 방과후 프로그램에는 드라마, 오케스트라가 있는지, 체육 프로그램은 무엇인지 등등을 세밀하게 따져 묻고 전학 여부를 결정한다고 한다. 우리나라 학부모는 국가에서 실시한 영어, 수학 시험에서 학교의 평균 점수만을 묻고 전입학 한다고 한다.

홍선생의 친지 중에는 중학교 시절 100M 달리기로 전국을 제패한 사람이 있다. 홍선생은 평소에 운동으로 건강관리를 하기에 그 장점을 그분에게 알리면서 운동을 권유하지만, 그분은 고개를 절레절레 흔든다고 한다. 학생선수 시절 입에서 신물이 날 정도로 운동'만' 했기에 하고 싶은 마음이 생기지 않는다고 한다. 학교는 운동과 학습을 이분법으로 보았다.

엄마는 내가 무엇을 할 때마다 하시는 단골 말씀이 있다. '남들이 너를 어찌 보겠니? 남들에게 피해를 주지 말아라, 남들처럼 해야 하지 않겠니?' 온통 남들 이야기이다. 나는 도대체 어디에 있지? 언제나 슬슬 남의 눈치를 보게 되니, 내 자신이 쪼그라든다.

1학년 때는 학교 가기가 즐거워서 학교 가고 싶은 마음에 아침이 기다려졌다. 학년이 올라가면서 점점 가고픈 마음이 줄어들고, 수업 시간에 손들고 발표하는 횟수가 줄어들고 있다. 공부 잘해서 큰 기대를 받는 우리 형은 엄마 몰래 학원 빼지는 횟수가 늘고 있다. 우리 둘만의 비밀이다.

엄마, 아빠는 혼내는 기계인가? 이리해도 혼나고 저리해도 혼나고. 엄마, 아빠는 하지마 기계인가? 이것도 하지마라 저것도 하지마라, 엄마 아빠는 해라 기계인가? 숙제해라 예습해라 복습해라 공부!공부!공부해라.

하느님 엄마 아빠가 이렇게 되기를 기도드립니다.

엄마 아빠가 이리해도 칭찬하고 저리해도 칭찬하고. 엄마 아빠가 농구해라 축구해라 게임해라 친구들과 놀아라 잠 많이 자라, 엄마 아빠가 우리 길동이는 소중해 사랑해 멋있어~라고 말씀하게 해주세요.

길동이는 신문에서 박태환 형아가 '자신은 공부 많이 못해 바보 같아'라는 기사를 보고 깜짝 놀랐다. 아시아에서, 세계에서 가장 빠른 수영선수가 바보라니, 이것이 어찌 된 것인지 그 이유를 알 수가 없었다. 이승엽, 김연아 선수도 공부 많이 못한 바보인가?

홍선생은 교내 자율장학에서 교수학습과정안에 대해 동학년과

협의회를 하였다. 질문의 중요성을 강조하며 질문 있는 수업 운영에 중점을 두겠다고 하자, 선배 선생님이 '홍선생, 질문 있는 수업은 이미 몇 년 전의 특색사업이었잖아, 한물간 것을 왜 하려고 그래?'라고 하셨다. 질문이 특색사업인가?

길동이는 봄방학을 맞이했지만, 하나도 신이 나지 않았다. 통지표의 '매우잘함' 개수가 지난 여름 방학 때보다 몇 개 적었다. 여름 방학 때 엄마 친구 아들이 나보다 '매우잘함'이 많다고 해서 꾸중을 들었다. 생활통지표는 나를 위해 주는 건지, 엄마를 위해 주는 건지, 다녀야 할 학원 개수가 늘어날 것 같다.

제3장

국영수 시험 1등급이 이끄는 사회

-내가 아닌 남으로 살게 한다-

들어가는 글

"공자의 유학이 바로 그것이지. **예법이란 무엇이더냐**. 남을 섬겨라, 남에게 조아려라, 남의 눈치를 살펴라, 남,남,남 제 스스로 생각하기란 걸 하기는 할까. 벗에게 묻고, 스승에게 묻고, 옛 책에 묻고, 무리를 짓고, 무리에 기대고"(김진명의 고구려)

(※유학이 문제가 아닌 권력 유지에 이용하는 지배세력의 의도가 문제임)

'차례는 조상을 사모하는 후손들의 정성이 담긴 의식이다'라며 추석 명절을 앞두고 유교 전통문화를 보존해온 성균관이 차례상 간소화 방법을 내놨다. '차례상 표준안'을 발표하며 **'옛 문헌에 의하면'** 차례상에 전을 올리는 건 오히려 예의가 아니다. 올릴 필요가 없다고 했다. 퇴계 이황 선생은 유밀과를 올리지 말라는 유훈을 남기기도 했다.(주간조선, http://weekly.chosun.com)

위의 기사를 보면 '너희는 이렇게 해라~!!!'라는 강제이지 의견이 아니다. 실생활에서 비판적인 사고를 통해서 '차례상 표준안'을 만든 것이 아니다. '옛 문헌에 의하면' 즉 '예법에 의하면' 하면서 발표안에 대한 책임을 회피하면서 우리에게 '명령'한다.

국영수 시험 1등급이 이끄는 사회는 거대한 '세월호'이다. 학생들에게, 승객들에게 '움직이지 마~!!!'하고 선장은 탈출했다. '통제에 익숙한' 그들은 죽임을 당했고 '명령에 익숙한' 그들은 살았다. 국영수 시험 1등급 사회는 명령한다.

■ 내가 아닌 남으로 살게 한다

서열화에 따른 차별이 자연스러운 대한민국

시험의 이중성, 돈은 중요하지 않다고 속인다

시험의 이중성, 직업의 귀천이 없다고 속인다

제왕무치(帝王無恥)로 만드는 사회

공부문맹은 푸로크루스테스의 침대를 만든다

공정성은 책임회피의 다른 말이다

공부문맹은 국가의 의식 수준을 낮춘다

국영수 시험으로 150세 삶은 버겁다

국영수 시험 1등급이 가져온 도미노 N포 세대

서열화에 따른 차별이 자연스러운 대한민국

미국의 기업에 근무하는 직원이 회사 업무로 출장을 갈 때 출장지의 거리에 따라 비행기 좌석이 결정된다고 한다. 회사 내규로 정해진 기준에 의해 먼 거리는 비즈니스 클래스, 가까운 거리는 이코노미 클래스의 좌석 여비를 지급한다고 한다. 소속 회사 내에서의 '직책'에 의함이 아닌 '출장 거리'로 구분된다고 한다.

우리나라는 상상할 수 없는 일이다. 미국이라는 사회는 정말로 이상하다는 생각이 들 정도로 우리의 고정관념은 고개를 갸웃거리게 만든다. 회사의 고위 간부와 일반 직원에는 차이가 반드시 존재한다. 직책에 의해 비행기 좌석이 다르며, 직책에 의해 숙박비와 숙박 장소의 등급이 다르며, 출장지에서의 자동차 렌탈 가능 차량이 달라진다. 회사에서 업무용으로 지급되는 차량이 다름은 당연한 일로 여겨진다.

공무원의 경우에도 기업과 마찬가지로 직책에 의해 차이가 나는 것을 당연시 여기고 있다. 자신이 소속한 곳 이외의 직속 기관 등에서 강사로 강의할 때 강사비, 원고비도 차이가 있고, 각종 심사위원으로 위촉되었을 때 심사비에도 차이가 있다. 직책이 높은 사람이 더 높은 등급의 강사비, 더 많은 심사비를 받는 것이 상례이다. 직책에 관계없이 비행기 좌석이 결정되는 미국이 이상한 나라이다.

조직 내의 상관을 모시고 출장을 갈 경우 상관과 동급의 좌석을 이용할 수 있고, 동급의 숙박업소를 이용할 수 있다. 그런 혜택을 주는 이유는 무엇일까? 출장지에서도 상관을 옆에서 보좌하며 모셔야 하니까 그런 것이다.

직원 연수에서도 차별은 존재한다. 1인당 소요되는 연수 비용이 차별화 되어, 직책에 따라 사용하는 시설, 초대되는 강사, 지급되는 식사 등에서의 품격도 달라진다. 공무원 문화가 민주적으로 변했다 해도 업무 능력과 관계없이 상관에 대한 의전을 잘못하면 눈 밖에 난다. 직책에 따른 차별을 제대로 실천 못했으니 질책과 인사상의 불이익을 당연히 받는다.

남편의 계급에 따라 아내의 계급이 정해진다는 군대 사회의 계급 문화는 군(軍)에서만 존재하지 않고 사회 전반에서 벌어지고 있다. 군대에서도 시험이 지배하는 사회, 서열화가 지배하는 사회임을 모르는 이는 없다. 공무원, 군대, 경찰, 검찰 등 정부 조직은 물론 대한민국에서 서열화가 존재하는 곳에서 소위 손바닥 비빈다는 표현을 모르는 이가 없다. 서열로 높은 사람이 되고자 할 경우 시험 성적과 별개로 반드시 필요한 수단이다.

아이러니하게도 공산주의 국가인 중국은 우리나라와 다르다고 한다. 위계질서가 더욱 강할 것 같은 사회체제가 아닌가? 더군다나 유학의 나라, 공자의 나라로 더 철저히 따질 것 같은데 말이다. 미국은 자본주의 국가라 직책보다는 실제적 효율성을 따지기에 먼 거리를 비행기 타고 가게 되면 피로도가 높아져 회사 업무에 지장을 줄까 봐 편안한 비즈니스 클래스를 타게 하는 것이

자연스러운 문화지만, 중국은 계급 사회인 공산주의 국가가 아닌가?

중국은 운전기사가 모시고 다니는 회사 사장과 식사 자리에서 동석(同席)하는 것이 당연한 일이라 한다. 사장은 사장의 역할이 있고 운전기사는 기사의 역할, 즉 서로의 역할이 다를 뿐이지 직책에 의해 차별대우가 존재할 수 없다고 생각하는 문화라고 하니, 우리나라 보다도 오히려 더 자본주의 국가, 민주주의 국가가 아닌가? 유학과 성리학을 이웃 나라에 수출을 한 중국은 그 단계에 머무르지 않고 변화했는데 수입국인 대한민국은 여전히 유학의 계급 사회에 머무르고 있다.

현재의 행복보다 고진감래의 인생철학이 통용되는 것은 시험을 통한 무한경쟁에서 승리하게 되면 달콤한 미래가 열린다는 믿음에서이다. 달콤한 미래라는 것이 차별화에 따른 상대적 만족감이다. 이렇게 주어지는 달콤함은 끝없이 탐욕스럽게 만든다. 자기보다 높은 위치에 있는 사람을 보면서 상대적 박탈감을 느끼게 된다. 그러기에 더더욱 시험 잘 봐서 더 높이 올라가야 한다. 소위 김밥 말고, 손바닥 손금을 없애면서 말이다.

공무원의 세계, 공기업의 세계는 시험으로 시작해서 시험으로 끝난다고 해도 과언이 아니다. 어른이 되어도 국영수 시험 잘보는 사람이 공부 잘하는 사람으로 높은 직책을 차지하게 되는 것이다. 국영수가 다른 과목으로 대체될 뿐이다. 전 생애에 걸쳐 잘못된 공부의 개념이 삶을 지배하게 된다.

상대평가의 세상에서 살아왔기에 상대적 만족감은 이주 어렸을 때부터 체득해온 것이다. 행복의 기준이나 개인이 가진 달란트가 다른 것이 자연스러운 일인데, 절대적 행복이 아닌 상대적 행복을 추구하는 사회가 된 것이다. 그래서 끝없이 남들보다 높은 위치의 완장을 차고 싶은 사회, 감투를 쓰고 싶은 사회, 만족을 모르는 사회가 되었다. 친구들의 서열을 순서 지으며 자신의 통제에 두려는 영화, '우리들의 일그러진 영웅 엄석대'가 지금도 존재하는 사회이다. '행복은 지금 그대로의 나, 있는 그대로의 나, 나는 행복해'를 믿는 절대 행복이어야 한다.

소속한 위치에 따라, 직책·직급에 따라, 직업에 따라, 다니는·다녔던 학교에 따라 소고기에 등급을 매기는 듯한 차별화가 이루어지고 있다. 그런 차별화를 당연하게 받아들이는 문화가 된 것은, 시험이 지배하는 사회가 서열을 만들었고 그에 따른 차별화가 생긴 것이다.

시험의 이중성, 돈은 중요하지 않다고 속인다

중국 지린성에서 태어나 중국의 옌볜 대학 교수로 재직했으며 현재 성균관대학교 중국대학원에 재직 중인 안유화 교수가 유투브 채널에서 대한민국에 대해 이야기한 사례를 소개해 본다. 짧은 이야기에서 우리를 되짚어 볼 수 있다.

눈을 보면 중국, 일본, 한국 사람을 구별 지을 수 있는데, 중국인의 눈을 보면 '돈돈돈'이 확실히 쓰여 있고, 일본인의 눈은 '재미재미재미'가 보이고, 한국인을 보면 ' … ', 읽을 수 없다고 하였다. 즉 읽을 수 없으면 한국인이라고 하였다.

한국에서 사업에 대해 동업을 제의받거나 어떤 프로젝트를 진행하기로 했을 때 '얼마를 줄 것인가?' 하고 물으면 이상한 눈빛으로 바라본다고 한다. 본인이 받는 지분과 받는 금액에 따라 시간 투자량, 쏟아붓는 에너지가 차이 나기에 당연한 질문인데 한국에서는 돈에 관해서는 서로가 깔끔하게 정리한 후 스타트하지 않는다고 이상하다 했다.

한국인은 돈에 솔직하지 않다. 이외에도 솔직하지 않은 것을 예로 들면 직업, 직위, 물건, 집, 학교, 친구, 결혼 등 무수히 많다. 냉정하게 이야기하면 솔직한 것이 매우 드물다. 공부 많이 했다는 사람, 많이 배웠다는 사람, 사회에서 어깨에 힘깨나 주는 사람, 소위 잘나고 잘사는 사람들이 특히 더 솔직하지 못하다.

솔직하지 못한 이중성 중에 가장 으뜸이 바로 돈이다. 우리는 예로부터 돈에 솔직하지 못하다. 돈 이야기만 해도 천박하다고 생각하거나 욕심 많고 점잖지 못한 사람으로 치부된다. 품격있고 인품이 훌륭한 사람은 돈 이야기를 꺼내기가 어렵다. '황금을 보기를 돌같이 하라'는 최영 장군의 말과, '돈이 인생에 전부냐'는 말을 모르는 이가 없을 것이다. 돈 욕심은 물욕(物慾)의 대표로 치부된다.

조선시대에 유림 세력들은 가문의 세도를 지키기 위해 딸을 철저하게 배척했고 장자 중심의 상속제도를 만들었다. 가문의 세도는 바로 재물, 돈이 밑바탕이었다. 고려시대까지 남녀 차별 없이 족보에 태어난 순서로 기록되던 것이 '돈을 지키기 위해' 폐지했고, 여성에게도 N분의 1로 상속하던 제도도 폐지되었다. 유학이 지배하는 시대로 넘어오면서 여성은 별당으로 물러나고 남성은 본채를 차지함은 물론 사랑채까지 차지하며 여성을 꽁꽁 묶어두었다. 아들도 장자가 제사를 모신다는 이유를 들어 장자에게 큰 몫의 재산을 물려주는 상속제도를 도입했다. 자녀들에게 재산을 N분의 1로 분할 하면 가문의 힘이 N분의 1로 줄어들기 때문이다.

300여 년간 노론이 조선의 실세가 된 것은 자신들의 재산을 지킴은 물론 가세(家勢)를 더욱 불렸기 때문이며 조선의 운명을 일본에 넘기면서 일본이 하사(下賜)하는 은사금(恩賜金)을 챙긴 것은 돈에 대한 욕심을 극명히 보여준다. 상속제도를 바꾸며 자식 간에도 서열화로 갈등을 조장하고, 남자와 여자의 성차별을 만들면서까지 돈을 지키면서도 겉으로는 돈을 밝히면 유학자가 아닌 듯이 만들었다.

재야 사학자들은 조선이 대한제국으로 바뀌고, 대일항쟁기를 거쳐 21세기의 대한민국으로 오는 내내 그들은 돈에 대해 누구보다도 집착하며 자금력을 바탕으로 언론과 정치, 경제, 교육 등 사회 전 분야에 세력을 떨치고 있다고 증명하고 있다.

돈이 인생의 전부인가요?, 돈과 행복 중에 무엇을 선택하실 거죠? 라는 등의 질문을 살펴보면 돈이라는 것을 삶과 분리하려는 의도가 다분하다. 돈은 인간이 자신에게 필요한 모든 물건을 만들어 낼 수 없기에 물물교환의 수단을 대체한 재화이다. 고무신을 사 신기 위해 쌀 한 가마니를 메고 고무신 장사를 찾아다니는 건 어려운 일이다. 편리하고 안전한 삶의 영위를 위해 돈은 인간 삶의 필요 조건이다.

그런데 왜 돈을 삶과 분리를 시켜 바라보게 하였을까? 남들이 돈을 탐하면 자신들에게 돌아올 돈이 줄어든다는 이기심의 발로로 볼 수밖에 없다. 그래서 돈의 존재를 인간의 고귀함과 거리가 먼 하찮은 존재, 더러움의 존재, 욕심의 존재로 만든 것이다.

그런 결과로 대한민국의 일상에서 '아름답지 않은' 돈 이야기가 텔레비전에 나오지 않는 날이 있는가? 매스컴에서는 뇌물로서의 돈,

비자금으로서의 돈, 로비로서의 돈, 돈 때문에 일어난 살인사건, 부동산 투자로 돈을 벌기 위한 위장전입, 불법 정치 자금 등이 기사 내용으로 압도적이다. 아주 가끔은 '아름다운' 돈 이야기가 우리를 훈훈하게 한다. 평생 김밥 팔아서 모은 돈을 대학의 장학금으로 기부하신 할머니, 아무도 모르게 평생을 기부금으로 어려운 사람들을 후원해온 연예인 이야기가 나온다.

나눔을 실천하는, 돈을 아름답게 사용하는 이들 중에 간혹 사회의 '인사이더'가 있지만 '아름다운 돈'의 이야기는 대부분 사회의 '아웃사이더'들이다. 귀중한 돈을 '아름답지 않게' 만드는 사람들은 사회에서 내로라하는 '인사이더'들이 압도적으로 많다. 돈에 대한 솔직함과 가치성을 뒤로 밀어내는 이중성이 키워낸 사회의 그림자이다.

우리에게 샤넬 회사는 화장품보다 가방, 여성들이 들고 다니고 싶어 하는 '빽'으로 유명한 회사이다. '샤넬런'이라는 소리를 만들어 낸 국가가 우리 대한민국이다. 신상품 출시로 매장 문을 여는 순간, 셔터 밑으로 몸을 기어서 통과하며 달음박질로 뛰어 들어가는 동영상에 붙여진 이름이다. 샤넬 백은 몇십만 원이 아닌 천만 원에 육박하는 고가 제품으로 '명품'이라는 호칭이 붙여졌다.

명품에 대한 욕구는 시계, 자동차, 보석, 옷, 가전제품, 음료수 등 인간이 생산해내는 모든 물건에 해당한다. 모건 스탠리에서 2022년, 전 세계 국민 1인당 명품 소비 1위(325달러) 국가가 대한민국이라고 발표했다. 미국 280달러, 눈빛에 돈을 밝히기에 '돈돈돈'이 쓰여 있는 중국의 55달러보다 압도적 액수이다.

중국인은 눈빛에 돈이 쓰여있지만 우리나라는 온몸과 정신에 '돈돈돈'이 쓰여있는 것은 아닐까? 명품에 대한 분노를 느끼면서도 명품을 걸치고 싶어 하는 보통 사람들의 마음도 솔직하지 못한 이중성에 묻혀있는 자화상이다.

유대인은 돈을 '신이 준 선물'이라고 말하며 돈으로 자신들의 동족을 돕는 것을 가르치고 있다. 돈의 노예가 아닌 돈으로 이웃과 나눌 수 있다고 가르친 그들은 미국에서 2%에 불과한 인구로 미국 내 자산의 20%를 소유한 민족이 되었다. 돈에 대한 올바른 교육으로 유대인은 세계에서 가장 영향력 있는 민족이 되었으며 종교분쟁이 끊이지 않는 중동 지역에 위치한 조국 이스라엘의 든든한 배후 역할을 하고 있다. 미국 내의 대학, 병원 등이 유대인 이름으로 건립되는 등 자신의 재산을 사회에 환원하는 문화가 형성되었다.

페이스북(현 메타 플랫폼스, Meta Platforms. Inc)의 마크저커버거(유대인, Mark Eliot Zuckerberg)는 2015년 페이스북 지분의 99%를 평생에 걸쳐 기부할 계획을 발표했다. 발표 후, 태어난 지 2주 된 딸에게 '너에게 좀 더 나은 세상을 만들어 주고 싶었다'라고 편지를 썼다고 한다. 이 얼마나 훌륭하고 멋진 돈의 나눔인가?

솔직하게 대답해 보자. 우리나라 사람, 아니 세상에 돈 싫어하는 사람이 있는가? 그러면서도 돈 이야기를 하면 품격이 떨어진다는 사회가 된 것이다. 유대인처럼 돈을 훌륭하게 사용하는 사람으로 키워내는 것이 노블레스 오블리주를 실천해야 마땅할 사회 지도층의 몫이다.

현재 대한민국은 돈에 관해 투명한 사회로 아주 빠르고 멋지게 변화되고 있다. 치맛바람에 의한 촌지 문화는 교직에서 사라진 지 아주 한참이다. 사회 저변에 확대된 청렴 문화는 이미 성숙되어가고 있다. 냉정하게 볼 때 노블레스 오블리주를 실천해야 하는 계층만 투명하지 못하다. 윗물이 맑아야 아랫물이 맑다는 속담은 우리 사회에 어울리지 않는다. 우리는 아랫물만 맑고도 맑다. 돈의 나눔도 이곳, 맑은 곳에서 많이, 아주 많이 이루어지고 있다.

국영수 시험 1등급이 이끄는 사회는 돈에 솔직하지 못하다. 솔직한 것이 드문 사회를 만들었다. 솔직함은 매우 큰 강점인데, 그것이 사라졌다.

시험의 이중성, 직업의 귀천이 없다고 속인다

'직업에 귀천이 없다'는 어떤 직업, 어떤 위치에 있어도 본인에게 훌륭한 자부심을 가질 수 있게 한다. 이 말은 우리나라에서 매우 많이 흔하게 인용되어 온 말이다. 그런데 왜, 부모들은 자녀들의 소질과 적성, 본인의 희망과 관계없이 명문대의 인기 학과에 진학시키려 하는가?

마음속으로는 '직업에 귀천이 있음'을 알고 있는 것이다. 정확히 말하자면, 우리나라는 수백 년간 직업의 귀천이 있음을 알면서도 솔직하지 못한 이중성을 갖고 있다. 의사, 검사, 변호사의 '사'자 들어가는 직업과 그 직업에서도 높은 직을 원하는 것을 애써 감추고 있다.

K-POP을 포함한 K-콘테츠의 세계화에 앞장을 선 방시혁 대표는 음악에 종사하며 막대한 자산가이면서 끊임없이 최선의 변화를 추구한 인물로 잘 알려졌는데, 어떤 인터뷰에서 '분노'라는 표현을 사용하였다.

2013년 '방탄소년단(BTS)'이 '방시혁이 탄생시킨 아이돌', 혹은 '살아가면서 겪는 편견과 억압이라는 총알을 막아 낸다'는 뜻을 담고 데뷔하였다. BTS는 K-POP과 K-Contents의 성장 가도에 폭발적인 힘을 보태었다. 그런데 방시혁, 그는 왜? 무엇에 분노했을까?

가장 직접적인 분노는 사회가 품고 있는, 음악에 종사하는 사람에 대한 올바르지 못한 시각과 대우이다. 방탄소년단을 비롯한 K-POP에 의해 우리의 한류는 세계적인 문화로 탈바꿈한 것을 누구나 알고 있다. 문재인 대통령이 대한민국을 세일즈하기 위해 유럽 순방(巡訪)을 할 때, 방탄소년단도 힘을 보태기 위해 함께 했다. 대통령의 연설에도 깊은 관심을 기울인 청중이지만, BTS가 공연할 때 귀빈석과 객석의 스마트폰이 일제히 동영상 촬영을 시작했다. 선진국이라고 자부하는 국가의 팬뿐 아니라 전 세계의 팬들이 한글로 된 노래를 따라부르며 한글 배우기 열풍이 일어났다. 더 나아가 방탄소년단의 나라, 대한민국에 여행을 오고 싶은 꿈을 간직한 젊은이가 늘고 있다.

우리나라 대통령의 외국 순방의 목적 달성에 음으로 양으로 방탄소년단이 커다란 기여를 했으리라는 예상은 누구나 할 수 있다. 대한민국 정부, 외교부의 노력과 각종 기업의 경제활동으로 대한민국을 알리는 힘이 높아졌다. 그러나 외국의 청소년들이 한글로 된 노래를 떼창으로 따라 하며 한글을 스스로 배우려는 의지를 이끌어 낼 정도는 아니었다.

그런데 아이돌 가수의 팬들을 '빠순이·빠돌이'라고 표현하는 세상처럼 우리 사회가 음악 산업 관계자의 문화예술 활동에 대한 높은 시선보다 폄하의 시선이 느껴졌기에 방시혁 대표는 분노한 것이라고 생각된다. 사회가 직업에 대해 가지고 있는 이중성은 매우 크다. 음악에 대한 인식의 부당함에서 오는 분노는 직접적인 분노이지만, 그것은 한순간에 쌓인 분노가 아닌 오랜

기간 사회에 누적되고 자행되어온 행위에 대한 분노가 지금의 분노를 촉발했다고 본다.

조선왕조가 망했음에도 사농공상(士農工商)으로 나타내는 신분의 서열화가 우리 사회에는 여전히 존재한다. 조선시대에 지금의 연예인을 광대라는 표현으로 그들을 폄하(貶下)해 온 것을 누구나 알고 있다. 그래서 음악을 비롯한 예술계에 종사하는 사람들은 이미 마음의 준비(?)나 각오(?)를 하고 자신의 끼를 시작하는 경우가 종종 있다. 주위의 지인과 집안의 격렬한 반대를 무릅쓰고 자신의 안정된 루틴보다 새로운 도전을 시작한 유명인 이야기는 매우 흔한 일이 되고 있다.

방시혁 대표의 누적된 분노는 대한민국 사회 전체가 솔직함이 실종된 이중성에서 오는 분노가 아닐까?

전술(前述)한 바와 같이 주류의 기득권자는 평소에 '청빈낙도의 삶'과 '학자의 양심'을 좇는 면모를 가진 듯했지만 일본에게 조선을 넘겨주는 큰 공을 세운 대가(代價)로 '명예로운'(?) 귀족작위를 받았다. 조선 사회를 이끌어온 지배계층들은 솔직함과 거리가 멀었다. 귀족(貴族)은 귀한 족속이며 귀(貴)함이 있다는 것은 천(賤)함도 있는데, 눈과 귀를 가리며 귀천(貴賤)이 없다고 애써 외쳤다.

솔직하지 못한 이중성은 여전히 대한민국의 현재 진행형이다. 공부문맹이 이끄는 사회에서 솔직함을 갖기에는 너무도 힘들다.

제왕무치(帝王無恥)로 만드는 사회

대부분 자신의 옳지 못한 행동을 후회하고 부끄러워하며 다른 사람의 잘못된 행동에도 분노하거나 미워하는 마음이 생기기 때문에 타인의 재산이나 신체를 해(害)하는 일 등 차마 하지 못하는 일이 있다. 왜 그럴까?

뉴스에서 중범죄를 저지른 사람일지라도 화면 보정으로 보도를 내보내는 것은 인권(人權) 보호의 차원이지만, 본인 스스로 마스크 착용 혹은 외투로 얼굴을 가린다. 범죄자라도 인권 보호 측면에서 얼굴을 가림이 원칙인데, N번방의 아동 성범죄자의 얼굴을 이례적으로 공개했다. 왜 그랬을까?

정상적인 사람에게는 수치심(羞恥心)이 있기 때문이다.

맹자는 '나라는 덕을 지닌 군자가 다스려야 한다'고 하며 4단인 측은지심(惻隱之心), 수오지심(羞惡之心), 사양지심(辭讓之心), 시비지심(是非之心)을 이야기했다.

유학(儒學)을 유교(儒敎)로 승격시킬 정도로 공자, 맹자 사상을 뼛속까지 체화한 민족에게 수오지심(羞惡之心)은 지켜야 할 제1의 덕목이라 할 수 있다. 유학자로서 수치심을 느낀다는 것은 고개를 못 드는 행위를 했다는 의미이다.

객관식 시험의 서열화로 커 왔기에 남을 이겨야 하고 친구를 무너트려야 하며 협력이 아닌 경쟁의 삶을 살아 온 사회 지도층들은 청문회 등에서 민낯이 드러난다. 그런데 전혀 부끄러움 없이, 모르쇠로 일관한다.

청문회의 첫 번째 단골 메뉴로 국방의 의무인 군대를 간 사람이 매우 희박하다. 본인도 군대 면제, 아들도 군대 면제, 집 안의 모두가 군대 면제이다. 보통 사람은 듣도 보도 못한 병들이 내신 1등급 계층에는 왜 그리도 많은지, 돈 많고 권력 있는 사람들은 건강관리가 매우 소홀하여서일까? 위장전입은 자녀를 좋은 학교에 보내고 싶은 부모의 마음 혹은 부동산 투자 수단이 대부분이다. 대한민국의 수험생들이 잠 줄여가며 공정한 경쟁을 통해 대학에 갔다고 생각했는데, 그렇지 않은 자녀들이 비리를 통해 버젓이 대학에 진학한 사례도 단골 중의 단골이 되었다.

이들의 공통점은 자신은 억울하다고 항변한다. 자신보다도 더 강도 높은 잘못을 저지른 사람이 더 많이 있는데 자신은 재수 없게 들켰다는 것이다. 이제는 부끄러움조차도 없다. 1등급의 사람들 대부분이 부끄러움이 없는 부류에 속하기 때문이다.

조선시대, '왕은 무슨 일을 저지르더라도 수치스럽지 않다'는 '제왕무치(帝王無恥)'라는 말이 있다. 그들은 자신의 존재가 제왕적 존재라고 생각해서인가 보다. 그럴 수도 있다. 4% 안에 드는 내신 1등급, 국영수 수능 1등급 컷, 1등급 대학을 졸업한 1등의 인생이기에 그리 생각하는 것이 무리가 아닐 수도 있다.

이들을 무치(無恥)로 만드는 주변 인물이 많다. 주변 인물들도

1등급의 사람들이다. 그들이 있기에 무치의 사람들이 버젓이 고개 들고 살아간다. 그들의 나쁜 행동을 감싸주며 옹호하고 변호해 준다. 정당이 같다는 이유 혹은 동병상련(同病相憐)의 감정의 발로가 아닐까 한다. '재수가 없어서 걸렸다'고 위로를 해주기도 하며 '정치적인 이유로 없는 죄를 캐서 벌을 주려는 의도'라고 매도한다.

보통 사람들은 자식 앞에서도 얼굴 못 들고 있을 부끄러운 일들이다. 서로를 헐뜯는 사람들 대부분 '내로남불의 당사자가 아닐까'하는 의구심(疑懼心)을 국민이 하고 있다는 사실을 모를 리가 없다. 그만큼 후안무치(厚顔無恥)의 민낯 세상이다.

사회의 빛과 소금 같은 역할을 해내는 1등급 중 매우 낮은 비율의 리더들의 피눈물 나는 노력과 선량한 보통 시민의 힘으로 대한민국이 이나마 굴러간다는 생각을 피할 수 없다. 그분들의 노력 자체가 감히 대일항쟁기의 독립운동을 능가한다고 말하고 싶을 정도로 시험 1등급이 이끄는 사회는 부끄럽다.

공부문맹은 푸로크루스테스의 침대를 만든다

그리스 신화에 도적인 '푸로크루스테스(Polypemon Damastes Procrustes)'는 지나가는 나그네를 극진히 대접하고 잠자리까지 제공한다. 만행은 그 이후에 일어난다. 나그네를 침대에 눕힌 다음, 침대보다 키가 크면 남는 목이나 다리를 잘라서, 침대보다 키가 작으면 침대 길이에 맞춰 늘려버리는 방법으로 살해하였다. 이 신화로 어떤 절대적 기준을 정해 놓고 모든 것을 거기에 맞추려 하는 것을 '프로크루스테스 침대'라고 불리게 된 것이다.

중앙일보(2022년)에 야간자율학습을 거부하고 고교 중퇴했던 수학자 '허준이' 교수가 소개되었다. 허명회 고려대 통계학과 명예교수는 "아들이 고교 때 건강이 좋지 못해 야간자율학습을 빼달라고 요청했는데 학교에선 예외를 인정하기 어렵다고 거부하는 등 학교 교육이 강압적이었다"며 "아들이 자퇴를 원해 의논 끝에 집에서 공부하도록 했다"고 말했다. 학교 중퇴로 푸로크루스테스 침대를 벗어났기에 수학의 노벨상인 필즈상 수상이 가능했다.

학생 건강보다 모두가 의무적으로 해야하는 야간자율학습이 더 중요한 사회, 학습에 대한 개인 선택의 자유를 '푸로크루스테스 침대'에 묶어둔다면 대한민국 교육으로 자체 생산해 내는 '필즈상' 같은 수상자는 나올 수 없다. 허 교수가 미국 시민권자인 것은 정형화된 틀에 대한 반발심에서 대한민국을 떠나고 싶은 마음에서 나온 것이 아닐까 하는 슬픈 추측도 해 본다.

성적 미달로 고등학교를 중퇴했던 하버드대 교수 토드 로즈(L. Todd Rose)의 저서(著書), '평균의 종말(The End of Average)'에서 평균 중심주의가 우리 사회에 가져온 많은 문제점을 이야기했다. '평균적인 재능, 평균적인 지능, 평균적인 성격'이란 실재하지 않으며, 심지어 그 같은 개념이 완전히 잘못된 과학적 상상이 빚어낸 허상임을 밝혔다.

ADHD 장애 판정을 받았던 토드 로즈는 그간 평균이라는 미명으로 우리는 얼마나 많은 과오를 저지르며 살고 있었는지 되돌아보게 하였다. 태어나면서부터 평균 몸무게로 미숙아인지, 정상인지의 평가가 시작된다. 자라면서도 개인 내 비교가 아닌 사회에서 정한 잣대로 타인 간 비교로 평균이라는 잣대를 사용한다. 평균 학점, 평균 키, 평균 결혼 연령, 평균 몸무게, 평균 자격증 개수, 평균 스펙, 평균 취업률 등 평균의 소재는 실로 어마어마하다.

그 평균에서 뒤지게 되면 알게 모르게 불안감을 조성하는 그런 사회적 분위기에 우리를 끼워 맞추려 하고 있다. 평균이라는 잣대로 우리가 왜 평가되어야 하는지 알지 못한 채 평균에 나를 맞추기 위해 안간힘을 쓰며 살고 있다. 그런데 그 평균의 실체를 알고 보니, 절대로 평균이 아니었음을 알게 된 것이다. 근대를 넘어 현대사회까지 평균주의의 추종자로 살아온 인류에게는 대단히 충격적인 사실이다.

평균의 삶이 인간에게 준 해악보다 더 무서운 것이 있다. 서열화로 1등급 지상주의에 빠졌기에 '평균적인 삶'을 살아도 하급의 삶으로 치부될 가능성이 크다. 그러기에 억지로 자신에게 과한 명품 가방을 찾는 이유이다. 태어나서 살아있을 때까지 사회생활에서 시험으로 모든 개인을 '푸로크루스테스' 침대에 맞추는 것이다. 그래서 개성을 가진 개개인은 천연기념물과 같이 희귀한 존재가 된다.

국영수 시험 1등급이 이끄는 사회는 평균의 푸로크루스테스 침대보다 더 세밀한 잣대로 평가한다. 평균 중심주의의 허상에서 벗어나는 공부가 필요하다.

학교 교육 및 학교의 기능에 대한 문제점이 생길 때마다 시민들은 교육정책 및 교육법 수립에 직접적으로 관여하지도 못하는 학교와 선생님들에게만 책임을 묻는다. 국회의원의 10% 정도가 교원으로 구성된 독일, 핀란드처럼 교원의 정치 참여 시민권 확보되지 않은 상태에서 정책적인 제도 개선을 선생님들에게 기대한다는 것은 말도 안 된다. 교육에 대한 법과 정책 수립에서 교육 전문가 집단인 교육자를 제외한다는 것은 너무도 이치에 맞지 않는다.

사회의 거대한 지성 집단의 두뇌와 능력을 가진 교원의 정치적 참여는 국영수 시험 1등급이라는 푸로크루스테스 침대에서 벗어날 수 있는 힘이 될 수 있다.

공정성은 책임회피의 다른 말이다

공정(公正)은 공평하고 올바르다는 말이다. 투명한 사회를 공정한 사회라고도 한다. 투명(透明)하다는 말은 '속까지 훤히 들여다 보인다.'는 의미이니, 공정은 속까지 훤히 들여다보일 정도로 공평하고 올바르다는 말이 된다.

공정사회를 만드는 수단에는 많은 방법이 존재한다. 정치를 통해서 재화(財貨)를 적재적소에 배치해 사회 양극화 방지를 위한 복지 정책을 한다든지, 법을 통해서 잣대를 동일하게 적용하여 유전무죄 무전유죄의 사회를 방지한다든지, 대한민국의 신체 건강한 사람은 누구나 국방의 의무를 지는 사회를 만든다든지, 누구든지 태어나서 동등한 기회가 제공되는 사회를 만든다든지 이루 헤아릴 수 없다.

우리나라는 공정(公正)함을 담보하기 위해 시험을 본다. 정확하게 표현하자면 공정(公正)함의 실현 수단으로 '시험만' 본다. 태어날 때 선택할 수 없는 부모에 의한 불공정한 출발점, 신체적인 상황의 다름, 지역적 여건의 다양성 등을 고려하지 않은 채 공정성 확보를 위한 시험은 국민 모두를 책임지지 않는 사회로 만들었다. 시험을 봤기에 우리는 이미 공정의 책임을 다했다고 여긴다.

대학수학능력 시험을 만들어 놓고, 어른들은 모두 뒤로 숨는다. 시험이 학생들을 멍들게 하고 부모를 사교육의 멍에로 멍들게 하는 것을 알면서도 공정성을 위해 최선을 다했노라고 주장한다. '대학수학능력'의 의미는 대학에 진학해서 수학(修學)하는 능력이 있는가이다. 그 시험 하나에 올인(All in)하는 사회가 올바르지 않은 사회라는 것을 모르는 사람이 있는가?

맹자는 '사람은 이익을 추구하고 손해를 피한다'는 습성이 있으나 '우물에 빠지는 아이를 구하는 것'처럼 어려운 처지에 있는 사람을 아무런 조건 없이 구한다는 것을 보고 인간의 품성에 대해 성선설(性善說)을 주장했다. 우리는 학생이 우물에 빠지려는 것을 봤으니 즉시 구해야 한다. 학생을 구하지 않으면 대한민국 모두가 우물에 빠지고 말 것이다.

미국의 경우 인터뷰를 통해 직종에 맞는 사람을 선발한다. 우리나라처럼 시험으로 사람을 뽑는 국가는 찾아보기 힘들다고 한다. '우리는 공정합니다', '우리는 공정하게 선발했습니다'라고 외치는 것이다. 떨어진 사람이 이의를 제기했을 때 투명함을 보일 수 있는 훌륭한 수단이 수치화된 점수이다.

공정성을 위해 가장 쉽고, 가장 간단한 방법인 시험만을 선택하는 어리석음을 범하고 있다. 그 어리석음으로 책임을 회피하는 사회, 누구도 책임지지 않는 사회가 만들어지고 있다는 것을 모른다. 시험만이 공정한 수단이 아니라는 걸 알아야 한다. 시간이 걸리더라도 수많은 토론이 필요하더라도, 갈등의 사회적 비용이 들더라도 진정한 공정성, 아니 불평등함을 없애는 방안을 함께 고민하며 찾아내야 한다.

공부문맹은 국가의 의식수준을 낮춘다

데이비드 호킨스 박사는 '의식혁명'에서 영적 존재인 인간은 그가 가지고 있는 의식이 배열되어 있고 그 의식이 일정한 수준과 밝기가 있음에 착안하여 수많은 환자와 인적 대상을 통해 의식 도표를 창안했다.

박사는 200의 수치로 긍정의 힘인 Power, 부정의 힘인 Force로 구분하였다. 1999년 한국에 방문해서 한국인의 의식 수준을 측정한 결과 수치가 310 Lux라 했다. 여기에 속한 사람은 '자발성(自發性)'의 의식으로, 성장이 빠르고 마치 향상을 위해 태어난 사람처럼 주어진 과제를 훌륭히 이루어가며 성장의 결실을 얻으며, 사회의 선(善)에 이바지하고 또한 내면의 문제에 관심이 많아 배움의 장벽을 두지 않는다.

수치는 자연수가 아닌 대수인 상용로그(log)를 이르니 세계의 평균이 207일 때 310이라는 수치는 실로 대단히 높은 수치이다. 영국이 식민지 차지에 대한 야욕을 부릴 때 175수준이며 인간이 태어나서 한평생 올릴 수 있는 수치가 평균 5점 정도라니 우리나라의 310은 굉장히 높은 수치이다.

호킨스 박사는 '한국인'은 310, '대한민국'은 375라고 했다. 400의 수치가 뉴턴, 아인슈타인과 같은 세계적인 위인들이 위치한 '이성'의 단계임을 볼 때 대단히 높은 의식 수준임을 알 수 있다.

그런데 의문점이 생긴다. 국가는 375인데, 국민은 310으로 엄청난 차이(10의 65승)가 존재하는 이유가 무엇일까? 국가의 수치는 높고 국민의 수치가 낮은 것이 보편적인가? 아니면 그 반대로 국가의 수치는 낮고 국민의 수치는 높은 것인가? 아니면 대부분 비슷한 수치일까?

조선시대 보다 선대인 삼국시대, 고려시대의 문화가 사대주의가 아닌 주체성을 갖고 있으며 그 수준도 높다는 것을 문화유산을 통해 알 수 있다. 세종대왕의 한글 또한 고려에서 조선으로 바뀐 지 50여 년이라는 짧은 세월에 탄생한 것을 볼 때 한글도 고려의 영향에서 태어난 문화유산이 아닐까 추정해 볼 수도 있다.

문화는 인간 의식 수준의 총합이라고 보는 것이 타당하다. 인간 의식의 표현이 형태가 있으면 유형 문화, 형태가 없으면 무형 문화라 해서 문화재 지정을 하고 있다. 조선 건국 후 500년 이상 중국에 대한 사대주의로 살아온 세월, 일본에 강제로 침탈당해 주권이 빼앗긴 세월, 수백만 명의 목숨을 앗아간 동족상잔의 비극이 의식 수준을 퇴보시켰음을 추측해도 무리가 없다. 그러므로 우리 민족의 의식 수준은 375 이상이었으나 국민의 의식이 310으로 측정된 것을 볼 때 본래의 수준보다 더 낮아진 것이라 유추를 할 수 있다.

시험이 공부라고 하는 공부문맹이 의식 수준을 낮추게 되어 문화문맹 국가로 퇴보되고 있다. 높은 의식 수준의 국민이 있었기에 독립운동을 하고, 농민이 봉기했으며, 대통령을 하야·탄핵 시키는 강력한 민주주의 국가로 회복되고 있다.

국영수 시험으로 150세 삶은 버겁다

빌게이츠는 '가장 위험한 사회'로 사회의 구성 요소 사이에 '속도의 차이'가 큰 사회를 지칭했다. 예를 들면, 테크놀로지는 발달했는데 그것을 뒷받침하는 정책은 구시대일 때, 의료 기술은 발전했는데 의료법은 제자리에 있는 경우 등 기술과 정책의 차이가 큰 사회는 매우 위험한 사회라고 한다. 조화를 이루지 못하고 한쪽으로 치우치는 것으로 개개인 간의 속도의 차이가 더 벌어지게 되어 사회는 양극화를 초래한다. 정보통신 기술이 시속 100km로 달리는데, 나의 정서 속도는 시속 20km라면 '문화 지체'로 사회부적응의 결과가 올 것이다.

AI 인공 지능이 대신할 지적 영역, 챗GPT가 더욱 발전할 사회에서 국영수 시험에 익숙한 사람이 세상의 변화 속도에 적응하며 삶을 현명하게 영위할 수 있을까? 공부가 국영수 시험 준비하는 것, 국영수 시험 잘 보는 것이 공부 잘하는 사회는 자연적으로 도태될 수밖에 없다. 창의성의 영역까지도 테크놀로지가 침범하려 하는데, 암기하고 기계적으로 4지선다형 문제를 푸는 능력으로 긴 인생을 살아가는 것은 참으로 고통스러울 것이다.

의료 및 헬스 케어의 발달로 인간 수명 연장 이야기가 날로 뜨겁다. 지금 나이에 0.7 내지 0.8을 곱하면 1970~80년대의 나이가 된다니 그만큼 젊어졌고 건강하게 오래 산다는 의미이다.

지금의 60세는 과거의 42~48세로 은퇴하는 것이 아까울 정도로 너무도 젊다.

길어지는 수명을 부정적으로 바라보는 시각에서 이르길 '재수 없으면 200살까지 산다'라는 표현이 대중매체를 뜨겁게 달구고 있다. 보험회사 광고에서 건강검진 결과 아무런 병이 없이 튼튼하다는 결과에 대해 허탈해하는 중년 남자도 등장한다. 국영수 시험 1등급을 추구하는 삶을 산 사람에게 수명 연장은 행복하지 않은 인생의 연장이요 경제적으로도 준비가 안 되었기에 반갑지 않은 것이다.

고래(古來)로 장수(長壽)는 인간의 꿈이다. 진시황(秦始皇)은 불로초를 구하려 애를 쓰며 동남동녀(童男童女) 각각 500명을 선발해서 불로초가 있으리라 믿고 있는 곳으로 탐험대를 조직해서 보냈다고 한다. 똥 밭에 구르더라도 저승보다는 이승이 낫다는 말이 있는데, 인간의 꿈이 이루어지는 것에 달갑지 않은 것은 지금이 불행하다는 뜻이다.

매일매일 신나고 즐겁다면 모를까 돈 걱정, 자녀 교육 걱정, 건강 걱정 등의 개인적인 걱정과 출산률 걱정, 환경 걱정, 불안한 미래 걱정 등 사회적 걱정으로 오래 사는 것에 대해 큰 기쁨으로 다가오지 않는 것이다. 아마도 신나고 즐거워도 그 자체를 지겨워할지도 모르는데 걱정꺼리가 많기에 더더욱 반기지 않을 것이다.

그러나 대세가 장수 추구로 흘러가면 따라가는 것이 인간의 본성이기에 누구든지 생명을 연장해서 살아갈 확률이 대단히 높다. 난치병에 걸렸을 때, 사고로 신체에 심각한 상해를 입었을 때, 사랑하는 가족에게 그런 일이 닥쳤을 때 새로운 의료 기술의 혜택을 거절할 사람이 있을까?

인류가 유전자 서열을 원하는 대로 잘라내고, 원하는 서열을 다시 삽입하여서 마음대로 조절할 수 있는 시대가 얼마 남지 않았다고 앞다투어 보도한다. 유전자 연구에 있어 혁신이라 불리는 크리스퍼(CRISPR)라는 유전자 편집 가위 기술이 탄생했고, 그 가격이 5만 원 이내라 한다. 윤리적인 문제로 상용화가 안 될 뿐이라 한다.

인간 수명 200살은 이제 하품 나올 수준의 나이이다. 타임지 표지모델에 '아기'의 사진을 올려놓고, '지금 태어난 이 아기는 142세까지 살 것이다'라고 이야기한 것이 불과 수년 전인 2015년도이다. 2017년도에는 200살, 2019년에는 500살의 수명 연장이 대두되고 있다. 2023년도에는 1,000살을 넘어 인간이 자연스럽게 생각하는 죽음이라는 것을 당연한 현상으로 받아들여야 하는가에 대한 논제까지 등장했다.

내가 자신의 주인으로 살지 못하고 세상에 휘둘리면서 살지 않으려면 세상을 유연하게 바라보며 확장성 있는 삶을 준비해야 한다. 공부는 그런 것이다. 국영수 시험 보는 것으로는 미래를 준비할 수 없다.

국영수 시험 1등급이 가져온 도미노 N포 세대

결혼을 안 한다. 결혼은 해도 아이를 낳지 않는다. 아이를 낳아도 1명만 낳는다. 취업포기, 결혼포기, 자녀포기, 집포기..... 젊은이를 N포 세대라고 한다. 왜 젊은이들이 꿈꿔야 할 시기에 꿈 대신 '포기'라는 단어를 선택했을까? N포 세대는 대한민국을 헬조선이라고 부른다. '포기'를 선택하게끔 만든 사회이기 때문이다.

대학입시를 위한 사교육비는 너무도 많은 도미노 현상을 일으켰다. 사교육이라는 '레밍쥐'는 가속도가 붙었다. 국영수 1등급의 허망한 애벌레 기둥이 결혼과 자녀를 포기하게 했다. 인간은 본능적으로 가정을 꾸리고 후손을 낳는다. N포 세대는 본능마저 포기하게 된 것이다. '시험 천국'은 이리도 무서운 것이다.

글로벌 투자은행(IB)인 골드만삭스는 최근 '2075년으로 가는 길'이라는 제목의 경제 전망 보고서를 통해 저출산·고령화 문제가 전 세계 경제 순위를 뒤바꿔 놓을것이라고 전망했다. '출산율 세계 꼴찌(2021년 0.78명)'인 대한민국은 2022년 세계 경제순위 12위에서 2050년엔 15위 밖으로 완전히 밀려날 것이라는 비관적인 전망이다. 한국의 경제성장률 전망치가 2020년대 평균 2%에서 2040년대 0.8%로 떨어진 뒤 2060년대 -0.1%, 2070년대 -0.2% 등으로 역성장할 것으로 내다봤다.

골드만삭스가 성장률 전망치를 내놓은 34개국 가운데 마이너스 성장률로 전환할것이라고 전망한 국가는 대한민국이 유일했다.

경제협력개발기구(OECD)는 2011년부터 회원국의 삶의 질의 수준과 그 개선 필요 분야를 진단하기 위해 '더 나은 삶의 지표(BLI; Better Life Index)'를 개발해 사용하고 있다. 이 지표에 의하면 2022년 한국은 41개 조사 대상국 중에서 32위로 나쁜 수준이다.

대한민국은 조사 대상국 41개국 중 중간 이상인 20위 안에 들어가는 영역으로는 5개 영역으로 상위 순으로부터는 시민 참여(2위)·주거(7위)·교육(11위)·안전(11위)·직업(19위)뿐이고, 30위 이하인 영역은 하위 순으로부터 공동체(38위)·환경(38위)·건강(37위)·삶의 만족(35위)·일과 삶의 균형(35위)이다. 종합적으로는 41개국 중 32위로 세계 경제력 10위권 국가로는 어울리지 않는다.

삶의 질은 국민이 물질적으로 풍요롭고 정신적으로 행복한 삶을 영위하고 있는가를 경제·사회·문화·환경·교육·과학기술 등의 다양한 측면에서 포괄적으로 척도화 한 지표라고 볼 수 있다. 삶의 질이 중요한 이슈로 등장한 것은 과거에 생존과 안전, 물질적인 풍요에 초점을 맞추었던 생활방식에서 벗어나, 정신적으로 행복하고 만족스러운 인간다운 삶을 강조하는 추세가 강해지면서부터이다.

대한민국 사회는 산업화와 민주화의 놀라운 진전에도 불구하고, 사회적으로 새로운 많은 문제에 봉착하고 있다. 낮은 출산율, 급속한 고령화, 높은 자살률, 이념적인 사회적 갈등, 빈부 격차의 심화 등 해결해야 할 과제가 많으며, 이에 따라 삶의 질도 높지 않다.

국영수 시험 내신 1등급, 수능 1등급 컷, SKY대학 진학을 위한 사교육비는 저출산과 고령화의 1등 공신(?)이다. 서로 화합하며 행복한 결혼을 꿈꿔야 할 20대 남성과 20대 여성을 기회를 서로 뺏는다는 대결 구조로 몰아가는 '이대남, 이대녀'의 울고픈 단어가 생겼다. 한 국가가 패망하는 것은 전쟁으로 인하는 것보다도 출생률이 저조하면서 사라지는 것이 훨씬 무서운 것이다.

대학 졸업 후 세븐일레븐에서 아르바이트하면서 살겠다는 일본을 무서운 속도로 따라가는 중이다. 1980년대에 미국인은 '일본을 배우자, 일본을 닮자' 하면서 생선회를 먹기도 하고 일본 드라마에서 사무라이를 즐겨 본 세월이 있다. 미국의 산업구조를 일본이 흡수하면서 팩스 일본의 세월을 보냈다. 지금은 저물어 가고 있다. 아주 빠른 속도로 사라지고 있다. 일본도 시험의 나라로 경쟁의 사회, 획일화, 경직성의 대가를 지불하고 있다.

우리나라는 어떤가? 경제로 부자 나라로 되었고, 군사력으로 막강한 국방을 자랑하며 K-Culture의 해외 진출로 전 세계의 부러움을 사고 있다. 그런데 사교육비의 도미노로 저출산 고령화 사회에 빠르게 진입하며 이념 갈등, 젠더 갈등, 빈부 격차의 사회 양극화, 지도층의 도덕성 상실로 이어지고 있다. 아주 빠른 속도로 일본을 따라가며 저물어 가는 국가가 되고 있다. 국영수 시험 1등급의 지도자가 이끄는 사회는 실패한 사회이다.

제4장

공부문맹 탈출

들어가는 글

"반만년 역사를 가졌음에도 불구하고, 한국인들은 자신들의 역사적 업적에 대해서는 절대로 이야기하지 않으려고 한다. 심지어 그들은 과거를 모두 잊은 채, 마치 새로 태어난 나라의 국민인 것처럼 보이려고 한다."

(매일경제, 1999, '한국인을 말한다'. 마이클 브린)

'우리는 누구인가?'

'우리가 좋아하는 것은 무엇인가?'

'우리가 잘하는 것은 무엇인가?'

대학입시 정책 변화에 따라 초·중·고 교육과정과 사교육이 변화한다. 대한민국은 대학 진학을 위해 초·중·고가 존재하는 사회가 되었다. '공부문맹자'가 주도하여 대학입시 제도를 바꾸기에 공부문맹 탈출은 불가능하다. 국영수 시험 1등급 주도의 입시제도 변화는 공부문맹을 더 가속화시킬 뿐이다.

충무공 이순신이 '지금 그대로의 조선 수군, 있는 그대로의 조선 수군'을 통찰 있게 살피어 불과 12척으로 300척이 넘는 왜군과의 대결인 명량대첩을 승리로 이끌었듯이, 지금은 이덕일, 존리, 법륜스님, 방시혁, 박지성 같은 '공부독립운동가'들이 공부문맹 탈출을 주도해야 한다.

또한, 국영수 시험 1등급에서 벗어난 '공부독립운동가'를 통해서 우리가 잃어버린 DNA가 무엇인지 찾아야 한다. 우리는 누구이고, 잘하는 것, 좋아하는 것이 무엇인가를 찾아내야 한다. 그리고 그것을 회복시키면 된다.

우리 민족의 DNA가 무엇이고, 우리 민족이 잘하는 것, 우리 민족이 좋아하는 것을 찾으면 우리는 '절대행복'을 이룰 수 있다. 국영수 시험 1등급은 끝없는 불행을 자초한 '비교행복'의 원천으로 우리 민족의 DNA가 아니다. '절대행복'은 누구나가, 모두가 행복할 수 있는 인간이 지닌 DNA이다.

대한민국의 우수성만을 뽐내며 자랑하고자 함이 아니다. 어떤 민족이건 그들만이 지닌 우수한 DNA가 있다. 우리는 우리가 누구인지 우리의 DNA를 찾으려고 하는 것이다.

'우리 민족의 DNA는 무엇인가?'
'우리 민족이 좋아하는 것은 무엇인가?'
'우리 민족이 잘하는 것은 무엇인가?'

'광야(廣野)에서 자란 콩은 콩나무가 되고 온실에서 자란 콩은 콩나물이 된다'는 말이 있다. 우리는 수많은 외침(外侵)과 내침(內寢)을 이겨내며 더 높은 회복탄력성의 DNA를 갖췄다.

우리의 DNA만 회복하면 된다.

■ 대한민국 DNA 회복 운동

\# 공부문맹 탈출 독립운동가가 필요하다

\# 우리의 DNA는 '근면 성실 & 영민함'이다

\# 우리의 DNA는 높은 회복탄력성이다

\# 대한민국 여성의 DNA는 더 높은 회복탄력성이다

\# 우리의 DNA는 멘탈갑의 정신(精神)이다

\# 우리의 DNA는 누구나, 모두가 함께 윈윈이다

\# 우리의 DNA는 차별 없는 나눔이다

공부문맹 탈출 독립운동가가 필요하다

어린 시절 우리나라 지도 모양을 닮은 동물은 무엇인가에 대한 '시험 문제'의 정답이 토끼였고, 그 이유는 온순하고 말 잘 듣는 특성을 내세웠다. 우리 스스로의 손으로 자행된 역사 왜곡, 조선시대부터 본격적으로 이루어진 잘못된 역사 왜곡은 우리의 터전을 한반도 안에 묶어 놓았다. 윤내현 교수, 복기대 교수, 이덕일 역사학자, 김진명 소설가 등의 문맹탈출을 위한 독립운동가의 활약 덕분에 서서히 역사문맹에서 벗어나고 있다.

문예에 대한 편견과 선입견이 방시혁 대표와 같은 K-Culture 선도자에 의해 문예문명에서 탈출하고 있고, 박지성 같은 훌륭한 운동선수에 의해 체육문맹에서 눈을 뜨고, 법륜스님의 즉문즉설로 삶의문맹에서 해방되는 사람이 늘고 있다.

특히, 무서운 문맹은 삶을 궁핍하게 만들고 저출산·고령화의 나락으로 빠트린 금융문맹이다. '주식'에 대한 잘못된 개념이 우리나라 사람들의 사고에 깊이 새겨져 드라마 속에서 종종 '주식 하면 안돼, 주식 하면 망해, 주식 하는 사람은 일확천금을 얻으려는 사람' 등으로 표현되곤 한다. '부자학교 대표 존리'의 표현에 의하면 주식은 개인이 기업을 소유할 수 있는 훌륭한 기회이며 개인과 국가를 부자로 만들어 주는 유일한 수단이라고 한다. 그가 유투브에 나타나기 전까지는 주식으로 망한 사람이 많을 뿐 돈을 번 사람은 없다는 것이 사회 통념이었다.

금융문맹률 90%의 늪에 빠진 대한민국. 누구도 부정할 수 없을 정도로 성공적인 미국 생활을 뒤로하고 강한 역풍을 이겨내며 경제 독립을 이끄는 '존리'.

금융문맹률보다 더 지독한 공부문맹률 99.9%의 대한민국. 경제 독립을 이끄는 존봉준 '존리'와 같이 공부 독립을 이끌 사람은 없는가? 교육전문가들은 주식전문가와 하등 다를 바가 없는 공부문맹의 병을 앓고 있다.

학교 선생님들이 '시험으로 학생을 서열화를 하면 안 된다'고 주장하면서 스스로의 조직은 어떤 사회보다도 시험으로 강력한 서열화가 존재한다. 대한민국 사회 전체가 '시험이 공부'라는 공부문맹에 빠져있다. 존리 대표의 안내로 금융문맹을 넘어 경제 독립을 이끌고 있듯이, 선생님 한 분 한 분이 공부문맹 탈출을 위한 공부 독립운동가가 되어야 한다. 학생들에게 올바른 공부를 할 수 있게 터전을 마련해 주어야 한다.

우리의 DNA는 '근면 성실 & 영민함' 이다

- 유대인이 두려워하는 한국인

미국 내의 유대인들이 대한민국 사람에게 경계심을 갖는다 한다. 유대인 동네에 한국인이 이사 오면 그들의 상권이 시간이 흐름에 따라 점점 한국인에게 넘어가기 때문이다. 영리함을 갖춘 민족성에다가 근면 성실함이 남다르기 때문이라고 한다. 학업 성적도 한국인에게 상위권의 자리를 뺏긴다니 한국인의 등장을 반가워하지 않는다.

생존능력이 우수하고 영리한 한국인보다 유대인들은 거의 모든 분야에서 두각을 나타낸다. 아이비리그 대학생의 3할이 유대인이며 압도적인 비율의 노벨상 수상자가 그들이다. 왜일까?

유대인들은 어렸을 때부터 모두가 천재라는 소리를 듣고 자란다. 천재(天才)는 태어날 때부터 하늘이 준 재능이다. 영어로는 Genius 혹은 A gifted child로 후자를 해석한 것으로 보인다. 인간은 누구나 저마다의 재능이 있기 마련이다. 자녀들을 모두 천재라고 표현한 것은 그런 의미이다.

"너는 그림 잘 그리는 천재, 너는 친구들을 잘 웃기는 천재, 너는 달리기 잘하는 천재, 너는 상상력이 풍부한 천재, 너는 낙천성이 높고 긍정적인 천재......" 어렸을 때부터 자녀를 천재라고 끊임없이 불러준다. 식사를 같이하면서 자녀와 이야기를 나누며 자녀의 질문에 대답해 주며 토론을 이어가니 질문하는 습관이 형성된다. 자녀들은 성장하면서 '너는'이 '나는'으로 체화(體化)된다.

누가 묻거나 아니면 스스로에게 "나는 그림 잘 그리는 천재, 나는 친구들을 잘 웃기는 천재, 나는 달리기 잘하는 천재, 나는 상상력이 풍부한 천재, 나는 낙천성이 높고 긍정적인 천재……"로 자연스럽게 바뀌는 것이다. 물론 숨겨져 있던 다른 재능이 발견되면서 천재(天才)의 방향도 바뀌게 된다. 자신에게 재능이 있음을 알고 있고, 훌륭한 재능이 있으므로 자신에게 긍정적이라는 것이다.

자신의 재능을 찾아서 그 재능을 넓혀가는 확장성이 자신의 진로(進路)가 되는 것이다. 1,600만 명에 불과한 이스라엘이 나스닥에 상장하는 회사가 상위권에 이름을 올리는 것은 이유가 있다. 유대인이 학문의 성과로서 노벨상을 많이 수상하는 이유는 누구나 학문에 매달리지 않고, 학문을 하고 싶은 사람이 내재적 동기(動機)에 의해 연구하기에 그 분야에서 독보적인 연구실적을 이루는 것이다.

우리도 유대인처럼 할 수 있다, 아니 그 이상 할 수 있는 DNA가 있다. 국영수 시험으로 1등급 대 1등급이 아닌 등급, 4% 대 96%의 '공부 잘하는 아이'와 '공부 못하는 아이'로 구분 짓는 선착순의 서열화 문화를 없애야' 한다. 운동장에서 신호총 소리가 울렸을 때 모두가 달리는 방향이 한 방향인 국영수 시험이 아닌, 각자의 방향으로 다른 사람의 속도와 순서에 상관없이 달리는 교육이 이루어져야 한다.

세상에서 매우 영리한 민족 중의 하나가 우리 민족이라는 사실을 결코 잊어서는 안 된다. 서로가 스스로를 천재(天才)라고 믿는 교육이 시작되어야 한다. 천재라는 용어는 우리에게 Genius의 의미가 강하기에 다소 겸손치 못해 거부감을 느끼니, 우리에게 가장 익숙한 단어를 사용해야 한다. '모두가 공부 잘하는 아이'로 불러주는 것이다.

조사 시기나 조사 대상에서 다소 차이가 있지만 전반적으로 유대인 지능지수(IQ)는 높지 않다. 유대인이 평균 IQ 94로 보통의 국가이며, 대한민국이 108로 세계에서 가장 높다.

IQ는 상당히 정확하게 학교 학습의 성공 여부를 예측하지만 학교교육이 끝난 전문 직업에서의 성공은 예측하지 못하였다. 이 같은 한계를 극복하고자 미국 하버드대학교의 교육심리학 교수 가드너(Haward Gardner)는 기존의 지능의 개념을 탈피해야 함을 주장하며 다중지능 이론을 발표하였다. 가드너는 이론으로 정립하여 증명하였지만, 유대인들은 오래전부터 가드너의 8가지 다원화된 지능보다 훨씬 더 많이 세분하여 자녀들을 성장시켰던 것이다. 우리도 학생들이 자기만의 재능을 다방면에서 찾도록 도와야 한다.

학교와 가정에서 '너는 노래 잘하는 재능이 있는 아이야, 너는 수학 이론에 흥미가 높은 아이야, 너는 말하는 능력이 우수한 아이야, 너는 새로운 도전을 하는 용기 있는 아이야.....'로 아이들의 재능을 발견하며 자신감을 키워준다면, 곧 '너는'이 '나는'으로 바뀌어 비약적인 엄청난 성장을 가져올 것이다.

국영수 시험공부가 아닌 이제부터 자녀들의 재능을 찾도록 도와야 한다. 중·고등학교 통지표에 비해 서열화 표현이 구체적 수치로 드러나지 않는 초등학교 생활통지표는 대체로 3~4단계로 구분하였다. '매우잘함', '잘함', '보통', '노력요함'이다. 이름은 '생활'통지표이지만 '성적'통지표의 성격이 매우 강해, '공부 잘한다'와 '공부 못한다'를 판단하여 자신감을 떨어트린다.

평가 결과의 서술은 과목별로 측정하는 영역에 따라서 어떤 영역에서 우수한지를 발견할 수 있는 문구로 바뀌어야 한다. 즉 모든 학생이 과목별로 '과목 안'에서 잘하는 영역을 찾도록 도와 줘야 한다. '자신이 잘하는 것', '자신이 좋아하는 것'을 발견하는 것이 공부가 되어 자신감을 회복해야 한다. 시험으로 서열화하는 것이 자신감 상실의 주범이다.

우리는 근면성실하고 영민한 민족이므로 타인이 아닌 자신의 방향에 따른 자신만의 속도로 가는 올바른 방향성만 찾아주면 된다. 자신이 누구이며, 자신이 좋아하고 잘하는 것을 발견하면 자신감이 회복된다. 자신감으로 우리의 근면성실과 영민함의 DNA가 더욱 빨리 발현될 것이다. 우리는 원래 그런 민족이다.

우리의 DNA는 높은 회복탄력성이다

- 외발로 뛰었어도 세계를 선도하는 대한민국

"올림픽 100미터 결승 경기 출발선에 기이한 풍경이 연출되고 있다. 8명의 선수를 살펴보니 미국, 영국, 프랑스, 중국, 이탈리아, 독일, 일본, 마지막 1명은 대한민국 선수이다. 대한민국 선수가 올림픽 100미터 경기 결승에 진출한 것은 처음이다. 올림픽 본선 대회에도 오르지 못했던 대한민국이 64강, 32강, 16강을 지나 8강 결승까지 올라왔다. 아니 그런데 한국 선수의 한쪽 다리가 없는 것이다. 두 발로 뛰어도 오르기 힘든 결승 경기에 외발로 어떻게 결승까지 왔는가? 세상에 이런 일이 있을 수 있는가?"

위의 이야기는 외발로 뛴 우리나라의 핸디캡을 풍자적으로 표현하였다. 우리는 고려시대 이후 조선시대 부터 600년 남짓 외발로 뛰어왔다. 여성 차별이 시작되면서 외발만의 동력으로 힘겹게 국가를 운영하여 격랑의 거친 파도 같은 수난 시대를 겪어왔다. 중국에 의한 사대주의와 유학의 지배로 백성과 나라가 힘을 잃었다.

외발로 뛴 대가는 혹독했다. 경쟁상대로 보지 않던 왜(倭)에 의해 조선시대 내내 노략질과 두 차례의 왜란으로 괴롭힘을 당하였다. 결국 1905년 을사늑약의 외교권 박탈을 시작으로 '죽는 한이 있어도 성씨는 안 바꾼다'는 우리가 창씨개명(創氏改名)의 수난을 포함하여 유사이래 최고의 악랄함에 극치를 이루는 침탈을 겪었다.

외발로 뛰는 것과 두 발로 뛰는 차이를 경험해 본 사람은 안다. 달리기가 빠른 어른도 만약에 초등학생과 달리기 시합을 할 때 외발로 뛴다면 어린 학생이라도 이기기 힘들다. 어린 시절 오징어 게임을 해본 사람은 더 잘 안다. 깽깽이인 외발로 뛰는 사람과 두 발로 뛰는 사람이 맞붙어 싸우면 두 발로 뛰는 사람이 이길 확률이 매우 높다. 하지만 외발로 뛰는 사람이 이길 경우도 있다. 뛰어난 신체와 정신의 조절 능력과 두뇌의 영민함이 필요하다.

'썩어도 준치', '부자가 망해도 3대 간다'는 표현이 적절한지 모르겠지만, 우리 민족의 타고난 우수성이 우리를 일으켜 세웠다. 후술(後術)하겠지만, 외발로 뛰는 남자를 보이지 않는 손으로 도와준 여성의 힘이 있었기에 근면 성실함과 영민함의 DNA로 회복탄력성의 힘을 발휘했다. 경제적으로 뒤졌기에 산업화가 필요한 대한민국에 가속도를 붙인 것은 교육의 힘과 잘살아 보자는 의지였다. 일제강점기로 모든 것이 빼앗기고, 이어진 전쟁의 발발로 폐허(廢墟)가 된 국가, 최빈(最貧)의 국가에서 일어선 것에 교육의 힘이 막중한 역할을 했다.

필리핀이 장충체육관을 지어주고 우리는 파키스탄 제철공장으로 공장 견학을 떠났던 시절에서 그 위치가 한참이나 차이가 나게 된 지금이다. 우리나라를 배우러 찾아오는 국가가 늘어났고 삼시세끼를 걱정하는 나라가 경제 대국의 부자나라가 되었다. 한강의 기적이라 불리는 것도 맞지만 우리는 본래의 모습을 찾아간 것이다.

그 과정이 결코 순탄치 못했다. 일제강점기의 잔재 미처리, 남과 북의 대치, 시민의 입과 귀를 막은 군부 독재, 투명하지 않은 기업 문화로 온 IMF 등으로 국가는 크나큰 위기를 맞았다. 서양의 근대화에 비해 짧은 시간의 압축된 근대화로 사회는 부조화를 이루며 많은 문제점이 나타난 것이다. 아직도 해결해야 하는 과제가 남았지만, 대한민국은 성공적인 민주화, 먹고 사는 문제 등을 해결했다.

높은 회복탄력성으로 어려움을 이겨낸 대한민국은 2019년 전세계 7개국만이 달성한 1인당 국민총소득 3만 달러 이상, 인구 5,000만 명 이상의 '30-50클럽'에 가입했다. 유엔무역개발회의는 2021년 대한민국의 지위를 개발도상국에서 선진국 그룹으로 변경했다. 유엔무역개발회 설립 이래 개발도상국에서 선진국으로 발전된 첫 번째 국가가 되었다.

도움을 받던 국가에서 도움을 주는 국가로 변모하였다. 원료를 수입하여 가공무역의 단순 제조업에서 K-Pop, K-Drama 등 문화를 수출하는 국가로 발돋움하였다.

회복탄력성이란, 어려움을 극복하는 힘이다. 충격 그 이상으로 성장하는 회복탄력성의 DNA가 있음을 잊어서는 안 된다. 우리를 정확하게 바라볼 수 있는 눈이 공부 회복 운동이자, 우리의 DNA를 되찾는 것이다.

대한민국 여성의 DNA는 더 높은 회복탄력성이다

- 대한민국 여성의 탁월한 우수성

사교육에 가장 앞에 선 사람, 자식에게 가장 헌신적인 사람, 자녀의 성공을 위한 지나친 사랑으로 치맛바람을 일으킨 사람, 자녀의 좀 더 나은 삶을 위해 기러기 아빠를 만들고 타국으로 유학도 마다하지 않는 대한민국의 어머니들이다.

인구 1,600만 명 미만으로 세계를 주름 잡는 민족인 유대인의 어머니상(像)은 자녀와 식탁에 앉아 '오늘 학교에서 어떤 질문을 했니?'라고 물으며 대화를 이끌어가는 분이다. 우리는 자녀 교육을 총괄하며 직접 담당하던 과거의 어머니상을 잊은 지 오래되었다. 늦은 밤 자녀가 학원 끝나기를 기다리며 주변 커피숍에서 다른 학부모와 오로지 대학 진학만을 위한 정보를 주고받는다. 어머님의 강건함과 자녀 교육에 대한 주도권은 간데없고 학원의 사교육에 자녀를 위탁하고 있다. 왜 이렇게 되었을까?

조선시대에 들어서 여성들은 사회에서 강제적으로 밀려났다. 그때부터 우리나라는 한 발로 뛰는 '우매'한 선택을 한 것이다. 한 발로 뛰니 경쟁상대도 안 된다고 생각한 일본에 나라를 빼앗기고 만신창이로 부상을 입었다. 만신창이의 상태에서 3년간 동족상잔의 비극 6.25로 전 국토가 폐허가 되었다. 세계 최빈(最貧)국가로 먹을 것도 없는 헐벗은 나라로 전락되었다

세상의 절반은 여자라는 것, 그리고 우리 민족의 여성들은 고대 시대부터 존중받으며 남성과 함께 문명사회를 주도했던 사실을 유학자, 성리학자들은 철저히 도외시했다. 세계의 어느 민족보다도 남성과 동등 내지 고대 사회에서 우월적 지위를 가진 여성을 철저히 무시했다. 다양성의 절반이 무너진 것이 아니라 그 이상이다. 두 발로 걷다가 한 발로 걷는 것은 절반의 속도 이상으로 급감해지는 이치와 같다.

수백 년간 굳어진 여성 차별은 심각성이 매우 깊어졌다. 한국은 젠더 격차 지수(Gender Gap Index, GGI)가 카메룬(97위), 캄보디아(98위)에 이어 99위이다. 필리핀(19위), 몽골(70위), 태국(79위), 베트남(83위)보다도 격차 지수에서 후순위이다. 평가 영역은 경제적 참여 및 기회, 교육 성취도, 건강과 생존, 정치적 권한 부여 등 4개 부문으로 한국은 가장 취약한 부문이 '경제적 참여 및 기회' 부문에서 115위를 기록했다. 여성의 노동 참여율, 임금 평등 지수, 예상 근로소득 등에서 대한민국의 남녀 차이가 큰 것을 알 수 있다.

유엔개발계획이 '성 불평등 지수 (Gender Inequality Index·GII)'를 조사한 결과 우리나라는 189개 국가 중 꼴찌에 가깝다. 우리보다 못한 국가는 9개 밖에 없다.

유림 세력에 의해 별당으로 밀려난 여성들은 뒷방 신세였지만 보이지 않는 손의 역할을 해왔다. 우리 민족은 남성 주도로 외발로 뛰었음에도 지금에 이르러 세계를 선도하는 위치에 다다른 것은 남성이 우수한 DNA를 가졌음을 증명한다. 그런데 여성은 상위 수준에서도 압도적인 위치의 DNA가 있다.

세계적인 스포츠 경기에서 많지 않은 인구수와 짧은 스포츠 역사를 감안할 때 좋은 결과를 내기 어렵다. 그런데 여성은 압도적인 경기력을 보이면서 세계를 제패한다. 미국 골프대회(LPGA)에서 TOP 10에 한국 선수의 이름이 즐비한 것을 볼 수 있다. 경기 단체에서 한국 선수의 독주를 막기 위해 영어 시험을 도입하는 웃지못할 무리수를 두기도 했다. 아무리 규칙을 바꿔도 상위 입상자는 한국 여성들이다.

양궁 종목의 경우는 대한민국 여성의 DNA 우수성이 더욱 두드러진다. 올림픽 때마다 경기 규칙이 바뀌면서 대한민국의 독주를 견제하지만 우리나라 여자 선수들은 비웃기라도 하듯이, 당연하다는 듯이 우승을 아주 가볍게 차지한다. 물론 선수들의 피와 땀을 폄하하고자 함이 아니다. 그만큼 우리나라 여성의 뛰어남을 이야기하는 것이다. 비단 스포츠계에서만 그런 것이 아니다. 한국 여성들의 약진은 각 분야에서 드러날 것이다. 시간이 필요할 뿐이다.

6.25 전쟁 이후 우리가 지금까지 이룬 성과는 남성들만의 트로피가 아니다. 여성들은 존중받지 못하는 사회 분위기에서, 격심한 차별에서도 가족을 지키며 자녀 교육에 온 힘을 기울였다. 그 힘이 지금의 대한민국을 일으켜 세웠음을 간과해서는 안 된다. 형제들을 교육 시키기 위해 구로 공단의 쪽방촌에서 먹을 거 입을 거 아껴가며 잠도 못 자고 하루 18시간 이상 일을 했다. 독일에 간호사로 건너가 거구의 외국인들을 이리저리 굴리며

간호하느라 성한 허리가 없을 정도로 병(病)들어 가면서도 집에 돈을 송금했다. 형제들 학교 보내느라 결혼도 뒤로 미루는 경우가 허다했다. 그곳에서 벌어들인 외화가 한국 경제의 피가 되었음을 우리는 알고 있다. 여성들은 보이지 않는 곳에서 한 쪽 발로 달리는 대한민국을 지탱한 것이다. 남편을 전쟁으로 잃고도 혼자의 힘으로 자식들을 대학까지 보내는 억척 여성은 전 세계에서 찾아볼 수 없다.

세계화가 되었다지만 우리나라 여성 지수는 OECD 국가 중에 꼴찌를 차지한다. 여성부가 생겼다는 것은 우리 스스로 여성의 지위가 낮음을 보여주는 증거이다. 그래도 다행이다. 이제부터 여성의 목소리가 정상적으로 울려야 한다. 우리나라 여성은 족보에서도 남녀 차별이 없었던 나라요, 상속에서도 남성과 동등한 대우를 받았던 국가이다. 세계의 여타 국가보다도 여성이 존중받던 사회였다.

몇몇 소수의 욕심 많은 계층의 백성 지배의 목적으로 유학을 도입하여 여성의 지위를 빼앗고 대한민국을 차별의 사회, 구별의 사회로 만들었다. 아직도 20대 남성과 여성을 대결 구상으로 몰고 가며 분열시키는 정치인도 있다. 남녀의 차별을 공고히 하며 나라를 팔아먹은 노론의 잔재가 아닌지 적지 않게 의심이 간다. 여성의 존중과 존귀함의 되돌림이 공부 회복 운동에 최선의 방법이다. 우리나라 여성의 매우 훌륭한 DNA를 하루빨리 되찾아야 한다.

우리의 DNA는 멘탈갑의 정신(精神)이다

- 정신이 훌륭한 멘탈갑 대한민국

중국과 일본의 공통점은 역사왜곡으로 우리나라를 정신적으로 침략하려 했다는 것이다. 더 나아가 중국은 공자의 유학으로, 일본은 영토와 국민을 직접 침략함으로써 정신을 지배하려 했다. 우리는 쇠(衰)했을 뿐 무너지지 않고 더 튀어오름으로 높은 정신을 발전시키고 있다.

우리 민족의 역사는 1만 년이다. 유구한 역사와 함께 종교도 함께 했다. 그러므로 우리 민족의 종교의 시작은 서양의 종교를 훨씬 앞선다.

책의 서두에서 전술(前述)한 바와 같이 그리스도교에서 쓰이는 의미로써의 '하느님'은 19세기에 나타난 것이지만, 어휘 자체와 그것이 지칭하는 하늘님의 의미는 오래전부터 있었다. 또한 하늘님은 기독교의 신에게만 해당되는 표현이 아니라, 환인이나 천주, 상제를 비롯한 전통적인 신에게도 해당되는 표현이다.

우리는 '하늘을 믿는다'하여 천손(天孫) 민족이라고 한다. 종교는 눈에 보이지 않는 것을 믿는 것이다. 불교(佛敎)를 믿은 사람이 눈에 보이지 않는 대상에 기도하는 것이 쉽지 않기에 초기 불교에 수백 년간 없던 '부처님상인 불상'을 만든 것이다. 불교에서 불상이 없었듯이 우리 민족은 보이지 않는 존재로서의 하늘(우주)을 향해 기도를 올렸다.

존재하지 않는 가상의 세계를 만들어내는 것은 쉽지 않다. 모방은 쉽지만, 창조는 어려운 이유이다. 이미지 트레이닝이 쉽지 않은 것도 같은 맥락이다. 우리 민족의 1만 년의 역사는 종교와 함께 한 역사이다. 그러기에 우리 민족은 보이지 않는 힘, 훌륭한 정신(精神)의 DNA가 있는 것이다. 축구 경기나 권투 경기에서 흔히 이야기하는 근성이나 인내심의 정신력(精神力)이 아니다. 의지력, 판단력, 사고력, 사기(士氣) 등을 뛰어넘어 신체와 정신을 조화롭게 조절하는 '정신력'인 것이다. 신체와 정신은 분리의 대상이 아니다. 우리는 신체와 정신을 잘 조화시킬 수 있는 DNA를 지닌 민족이다.

대부분의 스포츠 종목에서 신체적 조건이 경기력을 좌우한다. 레슬링 같은 경우 체급이 무거울수록 우리나라는 경쟁력이 매우 약하다. 무거운 체급에 해당하는 운동선수가 소수이기에 우수 선수가 나오기 어렵다. 신체조건이 탁월하지 못해 태권도 종주국이지만 올림픽 종목으로 채택된 후 우리 선수가 메달 따기가 점점 어려워졌다. 투기 종목, 육상 종목 등 피지컬(Physical)이 기본적으로 갖춰져야 하는 올림픽의 종목 99%가 우리에게 불리하다. 하지만, 간과해서 안될 사실은 우리의 신체조건이 탁월하지는 않지만 그리 뒤지지 않는다는 것을 잊어서는 안된다. 세계 최고를 뽑는 대회는 시험과 같이 1등만 추구하는 문맹을 만들고 있다는 사실도 잊어서는 안된다.

200개가 넘는 국가에서 중상위권의 FIFA 랭킹에 위치한 축구의 경우 세계를 제패하는 것은 사실상 꿈도 꾸지 못한다. 홈그라운드에서 열렸던 2002 월드컵 대회에서 이룬 4강이 최고의 성적이다. 본선대회에서 16강 통과는 하늘의 별 따기요, 총력을 다해 예선을 치른다. 16강 토너먼트에 진입해도 체력이 이미 소진되었기에 힘을 못 쓴다. 과거에는 월드컵에서 1승을 못 올린 경우가 허다하지만, 체격 조건이 비슷한 아시아에서는 '아시아의 호랑이'라고 불린다. 우리는 신체조건에서 조금은 자유로운 종목에서 훌륭한 정신, 멘탈(Mental)갑의 놀라운 DNA를 발휘하는 경우를 종종 볼 수 있다.

야구 종목인 월드베이스볼 클래식(WBC) 세계대회에서 2006년 3위, 2009년 준우승, 2008년 베이징 올림픽에서 9전 전승을 올리며 금메달을 목에 걸었다. 몸을 직접 부딪히는 축구가 아니기에 우수한 멘탈 DNA로서 승리하는 것이다. 투수는 타자와의 수 싸움에서 타자는 투수와의 수 싸움에서 멘탈이 좌우한다. 멘탈이 강한 류현진은 불같은 강속구가 아니어도 미국 메이저리그에서 사이영상급의 투수로 우뚝섰고, 이승엽 선수는 파워히터가 아님에도 강한 멘탈로 아시아 국가의 홈런 신기록 수립과 일본 야구에서 최정상급 홈런 타자로 활약했다. 우리나라 선수들이 수 싸움인 정신(精神)에서 앞서기에 경기도 이길 수 있는 것이다.

신체조건이 같은 선수끼리의 경기에서 유리멘탈의 선수는 멘탈갑의 선수를 이길 수 없다. 연습에서는 뛰어난 기량을 발휘해도 시합에서는 패배하고 만다. 그래서 신체조건이 영향을 미칠

가능성이 미미한 경기 종목에서는 멘탈이 매우 중요하다. 멘탈이 가장 필요한 경기는 타겟(Target)인 과녁판을 맞추는 것으로 사격과 양궁, 홀(구멍)에 공을 넣는 골프이다.

우수한 멘탈이 필요한 경기는 정신과 육체를 조화롭게 활용할 때 좋은 결과를 가져온다. 정신과 육체를 나누어서 봤던 과거의 논리는 과학과 의학의 발전으로 인해 사라졌다. 두려움, 긴장 등의 미세한 흔들림과 경직성이 육체에 영향을 주기에 과녁에 도달한 화살이 정중앙에서 멀어진다. 올림픽 경기 준결승, 결승 경기에서 10점을 연달아 쏘던 선수가 마지막 발에서 6점 이하의 과녁판을 맞추는 것을 흔히 목격하곤 한다.

우리나라 선수는 지고 있더라도 마지막에 역전할 수 있는 힘은 바로 멘탈갑 대한민국의 DNA가 있기 때문이다. 우리나라의 국가대표를 뽑는 선발전에서 최종 선수로 낙점되는 것이 올림픽 금메달 따기보다 훨씬 더 어렵다 한다. 멘탈갑끼리의 대결이니 오죽하겠는가?

일본은 정신과 신체가 분리되지 않는 것을 진작에 알고 있었다. 정신을 황폐하게 하면 신체가 저절로 약해지는 것을 알고 우리 민족을 조직적으로 침탈했다. 외교권 박탈로 우리의 주권을 빼앗고, 심지어 경복궁 안에 조선총독부를 설치하며 역사 왜곡의 대단원을 시작하였다. 조선인의 우매함을 일컫는 글을 써서 배포했으며 지식인들을 회유하여 친일세력으로 만들어 백성들을 세뇌(洗腦)시켰다. 명성황후를 시정잡배(市井雜輩)들인 낭인들에 의해 모멸감과 치욕적인 성추행으로 철저히 유린한 후 시해(弑害)함으로써 우리의 국격을 무참히 짓밟았다. 일본어로 창씨개명, 한국어 사용금지, 황국신민교육의 강화로 정신을 식민(植民)화하였다.

일본군으로 강제적으로 징용(徵用)하고, 각종 공사장에 인력을 징용하였으며 사람들을 속여 일본의 탄광 등에서 짐승만도 못한 생활로 신체를 유린했다. 대한민국 여성을 정신대라는 위안부로 전락시켰으며 만세를 부르는 비폭력주의 3.1운동에도 총을 난사해서 사람을 무참히 죽이고 독립운동가들을 각종 고문으로 무수히 살해했다.

일본과 노론 중심의 친일세력의 합심에도 불구하고 우리나라의 멘탈갑은 죽지 않았다. 잠시 쇠(衰)한 기간이 있었을 뿐이다. 그만큼 대한민국의 멘탈은 막강한 DNA이다.

우리의 DNA는 누구나, 모두가 함께 윈윈이다

- 대한민국은 안전한 나라, 평화의 나라

외세의 빈번한 침략과 남과북으로 갈라져 종전(終戰)도 아닌, 전쟁을 쉬고 있다는 의미인 휴전(休戰)의 나라가 어찌 안전한 나라인가라고 반문할 수 있다.

전쟁에는 막대한 자금이 필요하기에 남북한의 경제력의 큰 격차로 전쟁 발발 가능성이 매우 낮다. 이웃나라 중국과 일본의 도발도 쉽지 않다. 군사력 세계 6대 강국의 반열에 오른 나라인 대한민국과 전쟁을 일으킨다면 상대국의 피해도 만만치 않기에 그런 모험을 감수해야 하기에 침략이 어렵다. 그렇다해도 세상에는 어떤 일이 생길지 모르니 안전한 나라가 아니라는 주장도 맞는 말이다. 국제 정세상 외세가 침략하거나 북한이 도발하는 것을 우리가 선택할 수 없기 때문이다.

외부의 조건이 아닌 내부의 조건은 우리가 통제할 수 있는 부분이기에 이야기는 달라진다. 안전한 나라는 살기 좋은 나라와 같다. 살기 좋음에도 개인의 주관적인 판단에 따르기에 몇몇 예외가 있음을 인정한다.

우리나라 전국 방방곡곡을 여행 할 때 국내인이건 외국인이건 여행객이 생명에 위협을 받거나 안전에 확신이 안 서는 곳이 없다. 관광 산업이 발달된 이탈리아도 피렌체에서 집시가 여행객의 주머니를 털고, 프랑스 파리 지하철에서 소매치기를 당하는 경우가 허다하다. 베트남에서는 휴대폰 통화하는 사람의 전화기를 오토바이를 타고 가면서 채 간다고 한다. 돈과 귀중품만 털리는 것은 아주 다행한 일이다. 목숨까지도 빼앗기는 경우가 종종 벌어진다. 강도가 총구를 들이댈 때를 대비해서 목숨값을 지니고 다녀야 한다고도 한다. 우리나라는 배고팠던 시절이 끝나자 생계형 강도나 소매치기들의 자취가 사라졌다.

미국 뉴욕의 지하철은 플랫폼으로 들어오는 열차 앞의 선로로 사람을 밀어 넣는 행위, 대낮에 강도 행각이 벌어지기도 한다. 대한민국은 늦은 밤에 자녀가 편의점으로 심부름 갈 때 혹시나 하며 불안감에 떠는 부모님이 계시지 않는다. 밤낮으로 안전에 대해 마음 편하게 다닐 수 있는 나라는 선진국이라 해도 많지 않다. 일본도 여행객에게 안전한 나라일 수 있으나 영어 알러지가 강한 민족으로 소통이 어렵다. 우리는 어르신을 제외한 대부분이 간단한 의사소통이 가능하다.

국내에서 인종(人種) 간의 갈등, 민족(民族) 간의 갈등, 종교(宗教) 사이에 갈등이 없는 국가이다. 갈등은 테러를 유발한다. 쌍둥이 빌딩에 비행기가 돌진하는, 영화보다 더 끔찍한 사건 이었던 미국의 9.11 테러는 갈등으로 빚어진 일이다. 선진 문화라고 자부하는 국가의 (백인)경찰이 (흑인)범인이라 의심되는 사람을 무차별 가격하거나 체포하여 죽음으로 몰아넣는 경우도 발생하고 있다.

손흥민 선수 같은 월드클래스도 영국에서 인종 차별을 경험하고 있고 박지성 선수도 역시 수차례 당했다. 월드컵 대회에서도 아시아 선수를 원숭이로 비유하는 눈을 옆으로 찢는 일이 매스컴에 단골로 올라온다. 유색 인종을 구별하는 몹쓸 행위는 지구촌의 평화에 갈등을 유발하며 평화를 저해하기에 안전에 마이너스 요인이다.

유구한 종교의 역사는 타 종교에 대한 포용력이 깊기에 갈등 유발의 요소로 작용하지 않는다. 한 가정에서 다양한 종교가 있어도 가족간 화목에 지장이 없는 경우가 많다. 자신의 종교에 대한 폄하가 없을 때 대부분이 서로의 종교에 대해 허용적이다. 간혹 자신의 종교를 강하게 주장하는 가족은 언제나 있을 수도 있지만 보편적이지는 않다. 기독교인, 천주교인이라도 법륜스님 강연회에 참가해서 스스럼없이 자기의 고충이나 고민을 대중 앞에서 상담하고 있다. 크리스찬-부디스트(Christian Buddist) 등 다종교인이 자연스럽게 증가하며 종교를 통한 행복과 자아실현을 추구하는 국민들이 많아지는 나라이다.

대중이 모이는 장소에서도 매우 안전한 국가이다. 수만 명의 인파가 몰렸던 촛불집회도 안전하게 진행되며 행사가 끝나면 모였던 장소를 깨끗하게 정돈한다. 붉은악마가 열정적인 응원을 하는 장소도 예외없이 안전하고 깨끗하다. 외국의 폭력적이고 인종차별적인 훌리건과는 차원이 다르다. 군중들의 성숙한 시민의식으로 국가적인 행사에서 총을 든 군인은 아예 보이지 않고, 질서 유지를 위한 경찰만 눈에 보일뿐이다. 2022년 할로윈 행사로 참사를 빚었던 이태원의 압사(壓死)같은 불의의 사고가 발생했지만, 추후 재발 방지를 위해 국가 차원에서 빠르게 대처하는 능력이 매우 우수한 국가이다. 코로나 19에서 보여준 시민의식은 타국가에서 찾아보기 힘든 장면이다.

수돗물을 위생에 대한 걱정과 의심 없이 마실만한 나라도 흔치 않다. 석회수 혹은 세균에 노출되는 국가에서는 물 위생에 대한 염려가 매우 크기에 꼭 생수를 챙겨야 하며 심지어 양치물도 마트에서 구입해야 한다. 전국이 평균을 훨씬 상회하는 청결함을 갖춘 나라, 어디든지 화장실을 편하게 갈 수 있는 나라, 위생적으로도 안전한 나라이다.

우리의 DNA는 차별 없는 나눔이다

- 소통하며 좋은 것을 나눈다

테슬라의 전격적인 특허 공개를 놓고 세계인들이 놀라워했다. 타종업(他種業)에 종사하는 사람에게도 노하우(Know-How)를 숨기는 것이 보통의 경우인 데, 동종(同種)업을 포함한 모든 사람에게 특허를 공개한 것이다. 오픈소스(Open-Source)를 통해 테슬라는 다른 사람들의 능력을 흡수하는 데 성공했다. 그들은 자신의 소속사에 있는 연구원들의 능력을 믿기에 특허를 공개했다고 한다.

특허의 공개는 지적 재산의 나눔이다. 인간 세상에는 나눔의 종류가 다양하다. 재화의 나눔, 노동력의 나눔, 재능의 나눔, 아픔의 나눔, 슬픔의 나눔, 기쁨의 나눔 등 '나눔'은 '기부'라는 말로 표현하기도 한다. 나눔은 인간의 고도화된 정신 세계를 대표하는 행위이다. 동물 세계에서는 찾아보기 힘든 행위이다. 고귀한 나눔에 높고낮음, 귀함과 덜 귀함의 순서를 정한다는 것은 매우 어리석은 일이다.

그런데 세상에서 벌어지는 수많은 나눔 중에 테슬라의 특허의 나눔이 획기적으로 주목 받는 것은 '지식과 정보'를 나누었기 때문이다. 지식과 정보는 한 기업의 힘이자 재산이다. 그래서 더욱 주목받았다.

우리는 지식과 정보를 유통하는 인쇄술을 세계에 나누었다. 지구촌 사회가 된 것은 우리 민족의 금속활자가 지대한 영향을 미쳤다. 책을 대량 생산할 수 있는 인쇄술의 판본 금속활자는 위대한 발명품이다. 작은 이지(利智)에 밝은 민족이었다면 결코 나누지 않았을 것이다. 자국(自國)의 이익에 눈먼 작금의 세태를 보면 알 수 있다. 금속활자의 발명으로 남녀노소(男女老少), 귀천(貴賤)에 관계없이 누구나 지식과 정보를 얻을 수 있게 된 것이다.

나눔의 정신의 극치는 한글 창제(創製)이다. 지배층은 기득권이 위협받지 않는 편안한 통치의 목적으로 지식과 정보의 나눔을 제한한다. 일본의 국민 우민화(愚民化) 정책과 같은 것으로 고급의 지식과 정보는 통치 계층의 전유물이다. 피지배계층은 배움의 기회도 없을 뿐 아니라 생업으로도 입에 풀칠하기 힘들기에 문자의 습득은 엄두도 못 내고, 엄두를 내서도 안 된다.

그런데, 국왕(國王)이 백성들을 위해 한글을 창제하고 수많은 기득권 무리들의 협박과 회유를 뚫고 한글을 나눈 것이다. 세종대왕의 나눔은 우리나라에 머물지 않고 세계로 향하고 있다. 문자가 없는 국가에게 UN에서 한글을 제공하고 있다. 문자가 있어야 문화유산을 기록하고 보존하며 발전시킬 수 있는 것이다. 한글을 백성과 나누었고, 이제는 세계와 나누고 있다.

1990년대 말 IMF 위기 때 서민들이 너도나도 할 거 없이 돌반지와 결혼반지를 들고나온 우리의 기부문화에 세계가 놀랐다. 흉년이 들어 먹을 것이 없을 때 혼자서 쌀밥을 먹는 것을 죄스럽게 여기는 것은 나눔이 뼛속 깊이 배긴 우리 DNA이다. 나눔의 문화 덕에 IMF 위기를 극복하고 어려운 나라를 돕는 국가가 되었다.

백성과 소통하기 위해서 왕은 가까운 거리는 잠행(潛行)을 나갔고 더 자세한 것을 알기 위해 암행어사(暗行御史)제도를 시행하였다. 원활한 소통은 각자의 역할에 충실할 때 가능한 일이다.

회복탄력성은 소통의 DNA에서도 발휘되고 있다. 우리 민족의 DNA를 되찾기 위해 정치권, 교육계, 경제계, 종교계에서도 소통의 창구가 조금씩 열리고 있다. 그것이 마중물이 되어 우리 민족이 원래부터 잘해온 소통의 시대가 조만간 크게 열릴 것이다. 과거에는 금속활자로 세상에 지식과 정보를 유통시켰고, 지금은 반도체 생산으로 스마트폰과 인터넷으로 세상을 손바닥 위에서 볼 수 있게 하였다. 더 나아가 세계와의 소통을 위해 K-Pop, K-Food, K-Drama 등 K-Culture로 세상과 손잡고 있다.

■ 공부독립운동가

공부문맹 탈출 · 20:80 법칙, 공부독립운동가

역사문맹 탈출 · 이덕일, 공부독립운동가

금융문맹 탈출 · 존리, 공부독립운동가

삶의문맹 탈출 · 법륜스님, 공부독립운동가

문예문맹 탈출 · 방시혁, 공부독립운동가

체덕지문맹 탈출 · 박지성, 공부독립운동가

<이 책에 소개되는 분들이 본 저자의 졸필(拙筆)로 인해 이 분들의 존귀한 활동에 누가 되지 않기를 바랍니다.>

공부문맹 탈출 . 20:80 법칙, 공부독립운동가

"줄무늬애벌레는 사방으로부터 이리저리 밀리고 채이고 밟히곤 했습니다. 밟고 올라서느냐, 밟히느냐였습니다. 그는 밟고서 올라섰습니다. 줄무늬애벌레가 뛰어든 더미 속에는 이제 친구란 있을 수가 없었습니다. 동료들이란 다만 하나의 위협이요 장애물일 뿐이었으며 그는 그들을 발판으로 삼고 기회로 이용할 뿐이었습니다."(꽃들에게 희망을 中에서)

간디의 높은 의식 수준이 인도를 영국으로부터 독립시켰다. 간디 한 명이 영국 군인 백만 명 이상을 능가할 수 있는 의식(意識)의 힘, 정신(精神)의 힘이 있기에 대다수가 나약한 국민의 인도를 영국으로부터 지킨 것이다. 안중근 의사와 같은 소수의 독립운동가가 우리를 대일항쟁기의 수난 시대로부터 독립을 시킨 것이다.

대한민국은 국영수 시험 1등급이 이끄는 사회로 전술(前述)한 바와 같이 많은 문제점과 어려움을 겪어왔다. 그 과정에서 뒤로 후퇴하지 않고 발전하여 가장 가난한 나라에서 세계 10위권의 잘사는 나라가 되었다.

우리 사회에도 20대 80의 법칙이 긍정적인 면에서 적용되었다. 흔히 국영수 시험 1등급 카르텔의 SKY대 출신의

20%는 '시험만' 잘 보는 사람이 아닌, 전인적으로 균형감각이 잡힌 대일항쟁기의 독립운동가 같은 역할을 했다. 어떤 무리에 속한 사람이 그 무리에 반대되는 주장, 행동을 하는 것은 쉽지 않은 일이다. 특히 고정관념에 사로잡힌 다수를 상대로는 더욱 어려운 일이다.

1등급의 카르텔에 속한 사람들은 정치경제사회문화의 모든 분야에서 엘리트 집단에 있다. 국민의 불신이 높은 국회의원 중에도 분명히 국민을 위한 법안을 만드는데 밤을 새우는 의원이 있다. 그들의 활약이 대다수의 그늘에 가려 보이지 않을 뿐이다. 그분들이 만든 법안이 위태위태한 대한민국을 한 걸음 한 걸음씩 전진시키는 것이다.

검찰의 막강한 무소불위의 거만함에서도 소설가 조정래의 '천년의 질문'에 등장하는 '황검사' 같이 약자의 편에 서는 검사가 분명히 있다. 잣대가 다른 유전무죄, 무전유죄의 불공평한 세상을 조금이라도 공평한 세상으로 만드는 검사가 있다.

대형 로펌의 월급쟁이 변호사이지만 월급과 승소 수당에 연연하지 않고 변론을 통해 범죄를 밝히거나 죄 없는 자를 변호하고자 하는 드라마의 '우영우 변호사'가 분명히 있다.

입신양명에 눈이 멀어 국가의 지원금을 역사 왜곡에 탕진하며 역사를 팔아먹는 역사학자의 카르텔로부터 아웃사이더가 되어 배고프지만 당당한 재야(在野) 사학자, 남들이 감히 이야기 못하거나 연구조차 못하는 역사 카르텔에 사로잡힌 분야에 뛰어드는 역사학자가 분명히 있다.

고위직 공무원이 자녀 입학, 취업, 군대면제, 위장 전입, 뇌물수수, 불법 청탁 등 각종 비리로 신문 방송에 나오지만, 청렴한 대한민국을 만들기 위해 투명한 행정을 실천하는 청렴한 공무원이 분명히 있다.

국영수 시험 1등급이 선호하는 의사, 검사, 변호사, 대기업 취업의 안정적인 레드오션(Red Ocean)직(織)을 마다하고, '자신이 좋아하는 것, 자신이 잘하는 것'을 찾아 안정적이지 못한 블루오션(Blue Ocean)을 선택하는 용기있는 분들이 있다.

국영수 시험 1등급 부모의 후원을 거절하고 국방의 의무를 당연히 선택하고, 타인과 공정한 경쟁을 하여 국영수 시험 1등급에 속해 세상을 '자신의 꿈과 끼' 혹은 '세상의 정의'에 보탬이 되고자 자신의 길을 걷는 자녀가 분명히 있다.

국영수 시험 1등급의 삶을 살아보니 참행복이 아님을 깨닫고 'Doing'보다는 'Being'으로 자녀의 존재 자체를 존중하며 다양한 경험을 통해 잘하는 것, 좋아하는 것을 발견할 수 있게 뒤에서 묵묵히 지켜보는 부모가 분명히 있다.

국영수 시험 1등급을 생산해내야 하는 학교에도 분명히 스승이 계신다. 학생들에게 진정한 공부가 무엇인지 고민하게 하고 자신을 찾아가는 역량을 키워주는 선생님과 그 가르침에 응답하는 제자가 있다. 그 제자 중에 검사가 되고, 국회의원이 되고, 문예체(文藝體)계의 지도자가 되어서 올바른 사회에 이바지할 것이다. 또는 결혼해서 스승님에게서 배운 올바른 공부를 자녀에게 전수해서 민들레 홀씨처럼 사교육에 매달리는 공부문맹자의 탈출을 돕는 공부독립운동가가 될 것이다.

초·중·고 시절 국영수 시험 1등급의 소질이 다분히 있음에도 '꽃들에게 희망을'에 나오는 '노랑애벌레'와 '줄무늬애벌레'같은 친구가 있다. 수많은 친구들이 아무 생각 없이 가는 길을 마다하고 '자신의 길'을 찾아 외롭고 막막함을 이겨내며 화려한 나비가 되어 꽃들에게 희망을 나누는 친구들이 분명히 있다.

시험에 중독된 공무문맹 국가에도 대일항쟁기의 독립운동가와 같은 공부독립운동가가 늘어나고 있기에 점점 희망이 커진다.

역사문맹 탈출 . 이덕일, 공부독립운동가

-'역사는 천년지대계'라는 말을 실천하는 아사달역사문화연구원 우창수 원장, 단국대 고(故) 윤내현 교수 등은 '국수주의'라는 폄하 속에서도 우리 민족의 진실된 뿌리를 찾아내는 데 일생을 바치고 있다. 단군조선을 신화(神話)가 아닌 사화(史話)로 받아들이기 꺼려하는 분위기에서 대한민국이 인류문명의 기원 중심에 있다는 우창수 원장의 주장이 있음을 알리며, 본 책에서는 이덕일 소장의 활동을 소개하고자 한다.-

라면에 소주 한 잔 마시며 살더라도 나라 팔아먹는 일에는 합류할 수 없다는 역사학자가 있다. 1등급의 카르텔 속에서 편안함을 추구할 수 있는 것을 한가람역사문화연구소 이덕일 소장은 모르겠는가? 계란으로 바위치는 것이 아닌 태평양의 바닷물을 숟가락으로 퍼내는 일을 이덕일 재야사학자는 하는 것이다. 그런데 태평양의 밑바닥이 보이려 하고 있다.

우리는 흔히 백년지대계로 교육의 중요성을 말한다. 누구도 그 말에 반박을 못하고 고개를 끄덕이며 교육의 힘임을 부정하지 않는다. 교육을 통해서 일제의 식민화에 가속도를 붙여 세뇌시키려 했던 것도 교육의 힘이 강하기 때문이다.

그런데 우리는 정말 중요한 것을 논의의 대상으로 삼지 않는다. '역사(歷史)는 천년지대계이다' 라는 사실을 공부문맹으로 인한 우매화와 전방위적인 계획 속에서 현재 진행형으로 이루어지고 있는 역사왜곡으로 인지하지 못하고 있는 것이다.

역사 왜곡은 역사적 사실뿐 아니라 '용어'에서부터 일어난다. 그래서 필자(筆者)가 용어 정의의 중요성을 강조하고 있는 것이다. '일제시대'!! 1910~1945년을 일본제국주의의 시대로 표현하며 일본의 지배를 능동적으로 표현하였다. '을사보호조약'도 마찬가지이다. 일본이 우리를 보호하는 조약이라는 표현이다. 한 국가의 황후를 '민비'라고 호칭하며 거렁뱅이 존재들에게 시해를 저지르게 함으로 조선의 국모(國母)가 아닌 일개 가문의 존재로 만들며 국격을 짓밟았다. 용어는 그렇게 중요한 것이다.

대일항쟁기라는 표현도 최근에 생겨난 개념으로 우리 민족이 주체적으로 일제의 탄압에 맞섰다는 의미를 지녔다. 역사 수업을 열심히 들은 세대들은 '일제시대'로 세뇌되었다. 그 용어가 일본제국주의자가 강제로 점령했다는 '일제강점기'로 바뀌었고 마침내 '대일항쟁기'로 35년 항쟁의 역사로 보게 하였다. 일본을 아직도 '대일본제국'이라고 표현하는 것을 볼 때 반복적으로 이루어진 세뇌교육이 얼마나 무서운지를 알게 된다. 올바른 용어의 정의는 역사 독립운동가들 노력의 결과이다.

이덕일 학자는 역사 서술 방법에서 매우 개탄스러워 한다. 자국의 역사를 유리하게 쓰는 것이 대세인 역사관, 심지어 왜곡을 통해서 자국의 역사를 유리하게 쓰는 국가가 비일비재한데 우리

역사는 있는 것도 흠집을 못내서 안달이요 자신들의 역사관에 위배되면 무조건 거짓이라고 한다. 단군의 역사도 거짓이라고 주장하는 근거가 일본 역사가가 달랑 A4 종이 한 장에 단지 '단군은 거짓된 역사다'라고 주장하면서 시작되었다고 한다. '이 땅은 내땅이야'라고 주장한 강압적인 제국주의 국가의 전형적인 모습에 너무 무섭고 소름끼치지 않는가?

강단(講壇)사학자란 강단에 선, 우리나라 주요 대학에서 교수로 재직하는 사람을 일컬으며 그 부분에 소속하지 못한 비주류를 재야(在野)사학자라고 한다. 그들은 우리나라 주류 역사학계가 임나(任那) 일본부설을 비롯하여 가야 자체가 일본의 역사라고 주장하고 있다는 것을 대중들에게 알렸다. 정부에서는 역사왜곡의 주인공들에게 막대한 비용을 지불하지만 정작 뿌리를 지키는 역사학자에게는 지원이 전무(全無)한 슬픈 현실이다.

이덕일 역사학자는 검찰에 구속 수사되는 강압적인 처사에도 굴하지 않고 진실된 역사를 연구하여 세상에 알리고 있다. 76명의 매국노 중에 57명이 노론이라는 사실을 찾아낸 것이다. 알리는 사실 하나하나가 경악을 금치 못하는 사실들이다. 을사오적(乙巳五賊) 중 하나가 이완용이라는 사실은 익히 알고 있지만, 그가 나라 팔아먹은 일등 공신 역할을 한 노론들의 '당수'라는 사실은 모른다.

독도는 일본땅, 대한민국의 역사는 반도 안에서만 존재한다는 것,

남한은 일본땅, 북한은 중국땅이라는 주장, 대한민국 역사 부정에 최선을 다하는 현대판 매국노에 대해 무릎을 굽히지 않고 있다. 그와 함께 역사왜곡에 맞서는 학자는 진정한 역사 독립가요 위대한 공부독립운동가이다. 과거에 목숨을 바쳐 독립운동을 한 분들 대다수가 역사가라고 한다. 그러므로 이덕일 학자도 현 시대의 독립운동가 그 이상이다.

역사 독립운동은 비단 역사학자의 활약만이 전부가 아니다. 교단의 선생님들은 국사 과목의 국정교과서 출판을 막았고, 왜곡된 역사 사실을 파헤치는 선생님들이 늘고 있다. 이 분들도 역사 독립운동가이자 공부독립운동가이다.

'무궁화 꽃이 피었습니다'의 소설가 김진명은 소설 '고구려'에서 우리의 정신을 지배하려던 한(漢)의 의도를 꿰뚫어 보는 통찰력을 설파했다. 또한 소설 고구려를 통해 대한민국 국민이 삼국지와 같은 중국 역사서에 열광하는 문화에서 우리의 역사로 관심을 전환 시키고자 하였다. 필력을 펼치는 김진명은 소설가이자 역사 독립운동가, 공부독립운동가이다.

역사학자들과 식자층들은, 환인(桓因), 환웅(桓雄)을 이어받은 단군왕검(檀君王儉) 고조선(古朝鮮)의 단군신화(檀君神話)를 단군사화(檀君史話)로 앞장서서 불러야 할 것이다.

이덕일 학자의 노력이 커다란 결실로 돌아오고 있다. 그는 역사문맹 탈출의 최일선에 선 공부독립운동가이다.

금융문맹 탈출 존리, 공부독립운동가

–본 책의 신뢰도에 긍정적이지 않은 영향을 미칠지언정 존리 대표의 숭고한 정신을 존중하며 그의 금융 철학을 소개함을 재차 밝힌다–

분명하지 않고 의혹성 있는 표현으로 쓴 기사로 30년 넘게 쌓아온 신뢰가 한 순간에 무너진 '금융문맹 탈출'의 저자 존리는 연세대를 중퇴하고 미국행 비행기를 탔다. 직장인으로 출세한 선배들의 학교 방문 후, 자신도 그들과 같은 길, 경제독립을 이루지 못한 길을 가야할 미래에 대한 회의감을 느꼈기 때문이라고 한다. 국영수 시험 1등급, 1등급 대학에 진학한 존리는 휴학도 아닌 자퇴로 1등급의 카르텔에서 나왔다.

부자로 살고 있는 누나의 지원을 믿고 도움 받으며 학교에 다닐 마음으로 미국에 갔지만 기대감은 무너졌다. 수영장도 딸린 부자중의 부자였던 누나는 사지가 멀쩡한 동생을 왜 도와야 하는지 반문했다고 한다. 누나의 올바른 거절 덕분에 그는 다양한 경험을 하며 금융문맹을 탈출했다. 대한민국의 질병 '시험 1등급'의 공부문맹에서 탈출했기에 가능한 일이다.

미국 투자회사인 스커더 스티븐슨 앤 클락(Scudder Stevens & Clark)에서 코리아펀드를 운용하면서 그는 주식에 대한 투자철학을 배웠다. 그가 배웠던 철학으로 월가의 스타 매니저 자리를 포기하고 고국으로 돌아오는 비행기를 탔다. 주식투자를 도박하듯이 하며 주식투자를 금기시하는 금융문맹에서 벗어나게 도와주고 싶었다.

'계란으로 바위치는' 일이 시작되었다.

공부는 국영수 시험 1등급이 되기 위해 하는 것이라는 공부문맹처럼, 주식에 대해서도 금융문맹에 빠진 '주식 1등급의 전문가'와의 전투(?)는 악전고투였다. 주식 1등급 전문가는 금융문맹의 선동가로서 일반인들에게 주식은 사는 순간 파는 것을 생각하는 '샀다 팔았다'를 반복하는 행위이며 차트를 분석하며 매매 타임을 잡아야 하고, 신(神)도 알 수 없는 주식 시장을 아침과 저녁의 가격 전망 그리고 1년 후의 코스피 지수까지 전망하는 문화를 너무도 깊숙이 자리잡게 하였다.

'저 사람은 주식하다 망했데'라는 주식에 대한 부정적인 대사가 드라마에 나오며 경제학과 교수조차도 학생들에게 '주식하면 절대 안돼'를 가르쳤다. 경제학과 교수도 금융문맹 선동가의 역할에 앞장섰던 것이다. 40년 동안 증권회사에서 근무하고 퇴직하는 사람이 인생에서 자신이 가장 잘한 일이 주식투자 안 한 것이라고 했다니 대한민국의 금융문맹은 전세계 탑(Top)인 것이다.

주식 매도·매수 1등급 전문가, 경제학과 교수, 주식투자 안하는 증권회사/자산운용사 직원 모두 기업의 자본주의 원리를 조금도 이해하지 못하는 금융문맹으로서 거대한 문맹 카르텔을 형성하였던 것이다. 국민연금관리공단 등의 연기금 대표들은 1천 조에 가까운 자금으로 국내 주식 시장을 바다로 만들 생각을 못하고 국내 주식 투자 비중은 낮추고 외국 주식 투자 비중을 높인다 한다. 국영수 시험 1등급이 이끄는 사회는 당연히 대한민국의 투자 전문가 카르텔에도 존재할 수 밖에 없다. 금융문맹은 공부문맹의 부분 집합이다.

'존리의 부자되기 습관', '존리의 왜 주식인가' 등에서는 성인들의 돈에 대한 잘못된 생각, 돈에 대한 솔직하지 못한 이중성, 올바른 주식투자 등을 설명하며 금융문맹 탈출을 돕고 있다. '존리의 금융 모험생 클럽(1,2)' '존리의 경제 마스터' 는 어린 학생들에게도 금융교육을 시켜 K-금융인의 탄생으로 대한민국을 금융강국으로 만들고자 하였다.

금융문맹에 대해 계란으로 바위치던 존리 대표는 금융문맹 이면(裏面)에 더 심각하고 무서운 것을 발견했다. 대한민국의 교육이 엄청나게 심각하다는 것을 본 것이다. 아이들이 무엇을 잘하고 무엇을 원하는지 상관도 없이 잠을 재우지 않고, 시험 1등급으로 몰아세우기 위해 부모는 사교육에 엄청나게 돈을 쓰는 것을 보았다. 그러면서 부모는 노후 준비가 되지 않으며 파산의 길로 치닫고 있는 사회를 본 것이다.

존리는 금융문맹의 심각성이 공부문맹에서 왔다는 것을 알게 되었으나 존리는 공부문맹이라는 단어를 사용하지 않았다. 그도 국영수 시험 1등급을 공부 잘하는 사람이라고 칭하는 것을 보면 공부문맹자일 수도 있다. 아마도 금융문맹 탈출도 버거운데 공부문맹까지 벗어나게 하는 것은 시기상조라고 생각해서 일 것이다. 그는 엄연히 금융을 통해 공부독립운동을 하고 있다.

너무도 열정적으로 독립운동을 하고 있기에 계란으로 바위를 깨는 날이 다가오고 있다.

국영수 시험 1등급의 카르텔에서 활약하는 독립운동가와 같은 분들이 금융계에서도 나타났다. 즐겁게 투자하는 미래에셋 플러스의 강방천 회장, 열린 마음의 소유자 삼프로 TV의 김동환 투자 전문가, 존리 대표의 뜻을 펼치는 장을 마련해주는 기자들, 사교육의 굴레를 벗어던지고 자녀와 함께 투자를 시작한 부모. 그의 금융문맹 독립운동은 크게 성공하고 있다.

그러나 주식 1등급 전문가의 카르텔은 존리의 금융독립운동을 그냥 두고 보지 않았다. 단 하나의 기사로 그가 30년 넘게 쌓아온 신뢰를 무너트리고 그를 투자계에서 몰아냈다. 하지만 존리 대표는 대한민국의 회복탄력성 높은 DNA가 분명히 있었다. '존리, 새로운 10년의 시작'이라는 책과 함께 더욱 강해져서 돌아왔다.

존리 대표의 안내로 투자철학과 자녀교육법이 바뀌고 실행에 옮기는 모든 부모들이 위대한 공부독립운동가이다.

삶의문맹 탈출 . 법륜스님, 공부독립운동가

법륜 스님은 매일매일의 시간을 쪼개서 전국의 신도들뿐 아니라 고민을 상담하려는 청중들을 찾아다닌다. 즉문즉설이라는 프로그램에 매우 다양한 계층이 참석하여 아주 다양한 질문을 한다. 남편에 대한 고민, 부부 관계에 대한 고민, 교우관계에 대한 고민, 직장 내 갈등에 대한 고민, 사회 적응에 대한 고민, 자신의 성격에 대한 고민, 자식에 대한 고민 등등 우리가 살아가면서 공통적으로 겪는 고민을 들어주신다.

강의에서 반복적으로 하시는 말씀이 있어서 몇 번의 강연을 유투브로 들으면 세상을 어떻게 살아가야 할지 가닥이 잡힐 정도로 명쾌하게 즉석에서의 질문(質問)에 대하여 즉석에서 답(答)해주신다. 질문자가 처한 상황이 각양각색이기에 비슷한 질문이 계속된다. 스님의 말씀에 큰 용기와 지혜를 얻기에 스님의 모든 말씀을 유투브를 통해 보았다는 사람도 고민 상담을 하는 것이 다반사이다.

스님이 만약에 수학의 노벨상인 필즈상 수상자 허준이 교수처럼 고교를 중퇴하지 않고 뛰어난 두뇌로 학교를 다녔다면 지금처럼 많은 사람의 삶을 어루만지시는 분이 될 수 있었을까? 아마도 스님이 되지 않으셨어도 국영수 1등급의 카르텔 속에서 공부문맹 탈출을 돕는 독립운동가로 살아가셨으리라 본다.

질문자 대부분은 공부문맹자가 이끌어간 사회의 피해자들이다. 이거 하면 안 된다, 저거 하면 안된다, 온갖 안되는 속박의 삶과 시험이 연속되는 사회, 서열화 및 등급화 되는 사회에서 살면서 수동적인 사람들의 전형적인 모습을 보여주고 있다. 남의 눈치를 보는 삶을 살다보니 자신감과 자존감이 낮아질 수 밖에 없다. 만 18세가 넘었으니 본인 판단에 따라 살아도 된다고 말씀하셔도 질문자는 이해를 못하고 받아들이기 어려워한다. 어릴 때 코끼리가 말뚝에 묶이듯이 속박의 말뚝에 묶여서 풀려나기가 쉽지 않아 자유스럽지 못한 삶을 사는 것이다.

한가지 다행인 점은 질문자들은 자신이 어떤 문제를 가지고 있는지에 대해 고민하고 해결하고 싶어한다는 것이다. 각종 문맹에 사로잡힌 많은 사람들은 문제점조차도 혹은 해결하고자 하는 의지도 없는 것이다.

스님의 말씀은 '스스로 자신의 주인이 되어라'이다. 어떤 경우에도 남이 자신의 삶에 훼방 놓을 수 없다는 말씀이다. 그러나 그 말씀을 이해하면서도 우리가 알고 있는 통념을 벗어나기 어렵다. 시어머니와 갈등이 있더라도, 아들과의 갈등이 있더라도 알면서도 거역 못하고, 알면서도 거절 못하는 등등 주인으로 살 수 없는 온갖 이유를 우리는 가지고 있다.

스님의 말씀 중에도 무수히 등장하는 단어 중에 하나가 공부이다. 애석하게도 공부잘하는 사람을 국영수 시험 1등급 받는 사람으로 말씀하신다. 일반 대중을 깨치기에 한계가 있으시니, 먼저 자신의 삶을 독립시키면 공부문맹에서 해방될 수 있다고 믿으셔서 그런 것이라 본다. 보통사람의 공부문맹에 대한 질병의 악화는 그리도 위중하다는 반증이다. 스님의 말씀 하나하나가 다 공부독립운동이시다.

스님은 자신의 나눔에 대해 돈을 받지 않으신다. 강연은 가치로 표현될 수 없는 소중한 것이기에 돈을 받지 않는다고 하신다. 공기가 돈으로 환산할 수 없는 것처럼 너무도 고귀한 것은 가치로 환산할 수 없는 것이다. '크리스찬-부디스트'라는 종교인을 탄생시키기도 하시는 법륜 스님의 행보는 그래서 더더욱 고귀하다.

불교의 틀 안에, 신도의 경계를 긋지 않고 대한민국 안에, 외국인의 경계를 긋지 않고 북한 주민들, 오지(奧地)의 국가 아이들에까지 나눔을 실천하시는 스님은 홍익인간의 DNA를 풍부하게 갖추신 우리나라 보물이자 국가대표 공부독립운동가이다.

100세가 넘어서도 왕성한 강연 활동을 하며 '나이가 들면 정신이 육체를 젊어지고 간다'며 삶의 스승 역할을 하는 김형석 교수님, 스님의 말씀을 듣고 '삶의 문맹'에서 독립하여 자신의 주인으로 사는 모든 분들은 자랑스러운 공부독립운동가이다.

문예문맹 탈출 . 방시혁, 공부독립운동가

역사에 남을 위인으로 국영수 시험 1등급을 받은 사람의 이름은 남지 않는다. 학문을 달달달 외워서 암송을 잘하는 사람을 우리는 기억하지 않는다. 각종 예법을 모범적으로 지킨 모범생을 우리는 위대하다고 생각하지 않는다. 평균적인 인간, 사회의 정형화 된 틀에 알맞은 인간을 키워내는 사회조차도 시험 잘 보는 사람을 추앙하지 않는다. 사람들이 기억하는 위인(偉人)은 창조적이고 인간의 삶에 기여한 인물이다.

문예(文藝)란 사전적으로 학문과 예술 혹은 시·소설·희곡·수필 따위 미적 현상을 사상화(思想化)하여 언어로 표현한 예술 작품을 의미한다. 문(文)과 예(藝)는 인간의 정신과 육체처럼 분리의 개념이 아닌 함께 존재하는 대상으로 고도화된 문명의 최고 생산물(生産物)이다.

국영수 1등급이 이끄는 사회에서 1등급 대학을 다닌 방시혁은 대표적인 공부문맹 탈출의 공부독립운동가이다. 1등급 중에서도 1등급으로 꼽히는 법학과의 권유를 거절하고 미학과에 진학한 천재(天才)이다. 여기서의 천재는 우리가 흔히 사용하는 의미의 공부 잘하는 사람이다. 국영수 시험 1등급을 위해 혼신의 힘을 다하지 않았음에도 서울대에 진학을 하였기 때문이다.

대한민국 카르텔 중에 최상급인 검사, 판사가 보장되는 법대 진학을 부모님이 권했을 때 자신은 미학과를 선택하며 공부문맹 탈출을 시작하였다. 물론 고교시절의 행보 자체도 공부문맹에서 탈출한 사고를 지녔다. 단지 스스로가 공부문맹의 개념에 대한 의식을 갖고 탈출을 의도하지 않았겠지만 시험이 이끄는 사회에서의 한계를 느끼고 있었던 것이다.

학교 내신 성적과 수능 시험에 영향을 미치지 못하는 문예(文藝)는 학생들에게는 사치일 뿐 그 이상 그 이하도 아닌 공부의 축에는 절대 끼지 못하는 분야이다. 교육과정 속에서 경험하는 미술, 음악이 전부일 뿐 국어 교과서에 나오는 시와 수필, 소설은 문학이 아닌 시험과목의 문제에 출제되는 지문일 뿐이다.

2013년 '방시혁이 탄생시킨 아이돌', 혹은 '살아가면서 겪는 편견과 억압이라는 총알을 막아낸다'는 뜻을 담은 'BTS'인 '방탄소년단'을 데뷔시켰다. 이름 자체가 공부문맹 탈출이다. 7080세대에게 노래 부르고 춤을 추는 학생들은 소풍 장기자랑에서 가수 데뷔를 하는 '날나리' 학생이였다. 인기 드라마 '응답하라 1988'에도 어깨에 카세트를 메고, 청바지를 바닥에 끌고 다니는, 학교에서 아웃사이더로 비추는 공부 '더럽게' 못하는 '날나리'. 2010년대에도 대한민국 사람들에게는 모범생이 아닌 '날나리'라는 무조건적인 편견에 맞서 싸우고자 '방탄소년단'이라는 이름을 지었을 것이라고 생각이 든다.

그 '날나리'들이 대한민국의 미래가 되었다. 국영수 시험 1등급이 이끄는 사회에서는 여전히 7080세대에게 가슴 깊은 존중을 받지 못하지만, BTS는 K-POP과 K-컨텐츠의 성장 가도에 폭발적인 힘을 보태고 있다. 세종대왕은 한글을 창제하여 백성들의 생활에 실용화하는데 어려움을 겪었다. 방탄소년단의 방시혁 대표는 한글을 세계적인 문자로 탈바꿈시키는 역할에 기여했다. UN에서 문자 없는 국가 및 부족에게 한글 사용을 권하는 지금, 방탄소년단은 전세계에 한글을 퍼트리고 있다. 출산률이 저하되면서 지구에서 사라질 위험에 처한 대한민국 최고의 발명품 한글은 그들, '날나리'에 의해서 지켜지는 것이다. 지구촌에서 한글 노래를 떼창으로 따라부르게 만든 그들은 위대한 독립운동가들이다.

공부문맹자가 이끄는 세상에서 세뇌(洗腦)된 삶을 살고 있는 7080세대만 그들을 여전히 '빠돌이, 빠순이'로 불리우는 팬들만의 영웅으로 치부하고 있다. 내신 1등급, 수능 1등급컷의 신봉자인 공부문맹자들은 그 늪에 빠져서 개구리 중탕이 되어 죽어 가고 있는 사실도 모르고 있다. 그들은 자신이 우물안 개구리라는 불안한 속내를 드러내지 않고 살지도 모른다. 혹은 자신들이 속한 곳이 우물안이라는 것을 모른채 살아갈지도 모른다.

국영수 시험 1등급이 K-Culture에 기여한 것은 무엇일까? '나는 가수다'라는 서열화 프로그램을 만들어 가요계의 전설들을 한날의 수험생으로 만드는 문예(文藝) 문맹(文盲)으로 자신들이 대한민국의 위상에 무임승차하고 있음을 알고 있을까? 지금의 그들은 훼방만 놓지 않아도 훌륭해 보인다.

2조 5000억의 어마어마한 자산가이면서, 끊임없이 최선의 변화를 추구하는 방시혁 대표는 문예(文藝)가 국영수 시험과는 차원이 다름을 보여 준 문예 독립운동가이다.

작곡가, 작사가, 음악 프로듀서라고 쓰여있는 프로필에 윤봉길 의사처럼 대한민국을 공부문맹에서 구한 공부독립운동가라는 단어를 넣고 싶다. 방시혁은 대한민국 국보급의 귀중한 무형(無形) 문화재(文化財)이다. 중국의 삼국지를 능가하는 소설가 김진명, 기부천사 가수 김장훈, JYP의 박진영 대표 등 방시혁 같은 독립운동가가 점점 더 많아지고 있다. 우리의 DNA는 숨길 수 없다.

체덕지문맹 탈출 . 박지성, 공부독립운동가

한국인은 신체조건이 우수하지 않아 국제적인 경쟁에는 적합하지 않다고 하며 도전 자체도 시도하지 않았었다. 우람한 근육질의 거구들과 겨뤄야하는 다윗과 골리앗의 싸움이라고 여겼다. 대다수의 지도자들이 선수를 선발할 때 신체조건을 먼저 보는 것이 그런 이유이다. 다윗이 골리앗을 이긴 것을 우연으로 본 것이다.

그러나 다윗의 승리가 우연이 아닌, 즉 스포츠는 신체만이 아닌 정신이 함께 한다는 것을 보여준 독립운동가들이 있다.

2002년 월드컵 선발 명단에 박지성이 올랐을 때 팬들은 그의 존재를 몰랐고 축구계에서도 그를 주목하는 사람이 없었다. 박지성은 축구 선수로서 치명적인 평발에 키도 왜소한 편이었던 것이다. 게다가 대한민국 지도자가 강조하는 '악으로 깡으로' 뛸 것 같지도 않은 유순한 성품의 청년이었다.

신체조건 부족도 치명적인 데다가 우리가 흔히 말하는 정신력(精神力)도 없어 보이기에 기대가 높지 않았다. 그런데 그는 우리나라 축구계가 지닌 고정관념을 무너트렸다. 차범근 선수처럼 경주마 같은 스피드나 근육질의 신체조건을 갖추지 못했지만, 영민함으로 위치 선정을 잘하고 동료를 도와주는 감각이 뛰어나며 지칠 줄 모르는 멘탈과 체력이 있었던 것이다.

경기 중 부상으로 교체되어 라커룸에서 치료를 받고 있을 때

히딩크 감독이 통역을 대동하고 박지성을 찾아와 이야기했다. '박지성 선수는 정신력이 훌륭합니다'. 이 한마디가 박지성 선수가 더욱 자신감을 갖는 계기가 되었다고 고백했다. 히딩크 감독이 말씀하신 정신력은 흔히 이야기하는 근성이나 인내심의 정신력(精神力)이 아닌 의지력, 판단력, 사고력, 사기(士氣) 등 신체와 정신을 조화롭게 조절하는 능력을 말한 것이다.

덕(德)을 갖춘 인성과 유순한 품성은 동료들과 화합을 잘 이루었다. 국가대표팀에서는 박지성의 인성과 실력을 인정하며 주장 완장을 주었고, 동양인에게 친절하지 못한 유럽 리그에서도 외국 선수들이 그의 곁에 모여들었다. 그가 선수 생활을 하면서 동료와의 갈등이나 여성과의 스캔들이 없었으며 가슴 훈훈한 이야기만 우리에게 들렸다. 부모님의 모습을 보면서 그가 어떻게 성장했는지 미루어 짐작할 수 있었다.

축구 선수로 생활하며 스스로 부족하다고 생각한 학습(學習)에 대해 열의가 높았다. 운동만이 아닌 학습을 병행해야 더 큰 성장이 가능하다는 것을 보여주었다. 그 당시 박지성보다 뛰어난 기량을 가진 선수가 있었지만, 시간의 흐름 속에 박지성은 프리미어리그의 맨체스터 유나이티드 등 유수한 클럽에서 맹활약할 때, '운동만' 했던 선수는 성장이 멈추었다.

훈련과 시합이 끝나면 집에 영어 선생님을 모시고 회화를 배우며 부족한 언어를 보충했다. 그렇게 배운 영어는 곧바로 동료와의 소통으로 이어졌기에 경기에서 더 뛰어난 협업으로 팀의 경기력을 높일 수 있었다. 퍼거슨 감독이 그를 높이 평가하고 매 경기에 주전으로 출전시킨 데에는 그만한 이유가 있는 것이다. 히딩크 감독이 그를 알아봤듯이.

박지성 선수는 신체조건이 전부가 아니라는 것과 운동선수는 운동'만' 해서는 성장이 지속되지 않는다는 것, 운동도 노력을 통해서 더욱 성장할 수 있는 것이라는 사실을 보여주었다. 그는 훌륭한 인성을 갖추고 축구와 학습을 병행한 균형잡힌 인재(人才)였던 것이다. 그런 박지성의 리더십으로 대한민국 최초로 해외 원정 월드컵 16강에 진출하는 쾌거를 이뤘다.

운동선수는 학교에 가끔(?) 나타나며 운동에만 올인(All in)하는 것에서, 운동선수는 인성보다는 실력만 있으면 된다는 것에서 체덕지(體德智)의 균형잡힌 사람이 더 크게 성장할 수 있다는 것을 보여주었다.

운동선수에 대한 시각을 체(體)에서 체덕지(體德智)로 바꾼 독립운동가이자 공부독립운동가이다. 그로 인해 프리미어리그 득점왕 손흥민, 이탈리아 리그 철벽 괴물 수비수 김민재 등이 탄생했다. 그들도 박지성의 뒤를 이어 어려운 이웃과 나눔을 실천하는 체덕지(體德智)의 공부독립운동가임은 누구나 알고 있다. 어린 선수들은 그들을 멘토로 삼으며 공부독립운동가의 대열로 들어서고 있다.

체(體)만이 아닌 체덕지(體德智)를 갖춘 훌륭한 인재의 탄생은 베트남 국가대표팀을 강팀으로 이끈 쌀딩크 박항서 감독 같은 실력과 인성을 갖춘 지도자가 있어야 가능하다. 그래서 우리는 국영수 시험 1등급이 이끄는 사회에서 벗어나야 한다.

제5장

공부 잘하는 사람

-자신이 봐도 멋지고, 남들이 봐도 멋지다-

들어가는 글

'나는 누구인가?'

'내가 좋아하는 것은 무엇인가?'

'내가 잘하는 것은 무엇인가?'

내가 누구인지를 알아가며 좋아하는 것, 잘하는 것을 하면서 사는 사람은 멋질 수밖에 없다. 눈은 빛이 나고 얼굴은 의욕이 넘치며 주변을 따뜻한 시선으로 본다.

남과 나누려고 하고, 남과 더불어 살려고 한다.

그들은 '우리'를 사랑한다. 나를 사랑하고 남을 사랑하고 우리를 사랑한다. 그들은 '우리'를 존중한다. 나를 존중하고 남을 존중하고 우리를 존중한다.

멋진 사람은 '비교행복'이 아닌 '절대행복'을 갖고 있어서 늘 행복하다.

"지금 그대로의 나, 있는 그대로의 나, 나는 행복해"

그래서 공부 잘하는 사람들은 '자신이 봐도 멋지고, 남들이 봐도 멋지다'. 그리고 언제나 행복하다.

■ 절대 행복, 진정한 행복

공부 잘하는 사람, 자기 강점에 집중한다

공부 잘하는 사람, 좋은 자아(自我)를 만든다

공부 잘하는 사람, 인생은 락(樂)이다

공부 잘하는 사람, 150세 삶도 행복하다

공부 잘하는 사람, 회복탄력성이 높다

공부 잘하는 사람, 성공보다는 성장을 지향한다

공부 잘하는 사람, 열린마음과 창의적이다

공부 잘하는 사람, 자기 강점에 집중한다

"사람은 누구나 강점과 약점이 있다. 사람은 누구나 행복과 불행이 있다. 사람은 누구나 좋아하는 것과 싫어하는 것이 있다. 사람은 누구나 잘하는 것과 못 하는 것이 있다."

누구나 '강점·행복·좋아하는 것·잘하는 것'이 있고, 누구나 '약점·불행·싫어하는 것·못하는 것'이 있다. 전자를 선택하는 사람은 자아존중감이 높은 삶을 살 가능성이, 후자를 선택하는 사람은 그 반대의 삶을 살 가능성이 높다.

어떤 노력에도 약점은 완전히 없어지지 않는다는 것이 통설이다. 다만 작아지거나 숨겨져서 안 보일 뿐이다. 문제는 약점을 없애려고 노력하다 보면 강점이 함께 사라진다는 것이다. 자신의 약점에 지나치게 신경쓰다 보면 나의 강점에 심각한 영향을 초래하게 된다.

약점을 완전히는 아니지만 아주 작게, 눈에 보이지 않을 정도로 만드는 방법이 있다. 본인도 자신의 약점이 무엇이었나를 잊을 정도이니 타인은 그 사람이 그런 약점이 있는지조차도 모르게 하는 방법이다.

가령, 현재 자신의 강점과 약점이 손바닥만한 크기라고 가정해 보자. 바로 앞에 있는 친구와 자신에게 분명히 손바닥 크기의 강점과 약점이 눈에 띌 것이다. 약점의 존재를 있는 그대로 인정하고 강점에 집중해서 강점을 더욱 키우는 데 노력을 기울여 보자. 한 달 뒤에 강점의 크기가 손바닥 2개를 합친 크기가 된다면 약점의 크기가 줄어든 것처럼 보이지 않는가? 아직은 실감나지 않을 것이다. 1년 뒤에 강점이 자신의 키만큼 커졌다면 그때의 손바닥 크기의 약점은 어떤가?

오바마는 어린 시절에 대하여 "아버지는 내 주변 사람들과 전혀 다르게 생겼다는 점 - 아버지는 피치처럼 시꺼멓고, 어머니는 우유처럼 하얗다 - 을 나는 개의치 않았다"라고 회상하였다. 자신이 흑인임을 개의치 않았기에 오바마는 백인중에도 앵글로 색슨족(族)만이 대통령이 되는 미국에서 가장 높은 리더의 위치에 설 수 있었다. 그가 가지고 태어난 흑인이라는 감출 수 없는 약점보다 정책에 대한 비젼과 언변 등 정치적 역량을 키웠기에 약점은 약점이 되지 않았다.

우리나라의 역사적 인물중에도 약점이 아닌 강점에 집중한 세계적으로 뛰어난 구국의 영웅이 있다. 이순신은 늦은 나이에 주류세력이 되는 문과도 아닌 비주류의 무과에 급제했다. 가문의 배경이 든든하지 못한 것이 약점이었으나 타인에 대한 배려심이 강점이었다. 그 강점이 동료와 부하들, 주변의 백성들까지도 살피는 힘을 발휘하여 그들의 진정한 존경심으로 나라를 구했다. 타인에 대한 사랑이라는 강점이 든든한 후원 그룹이 없는 약점을 보이지 않게 하였다.

위인들의 이야기보다 평범한 사례를 들어보자.

'크게 생각할수록 크게 이룬다(The magic of thinking Big)'에

세일즈맨 선발 면접자 중에 심하게 말을 더듬는 사람이 있었다. 그는 '저는 사람들 만나는 것을 좋아합니다'라고 했다. 말 더듬는 것보다, 자신의 강점에 집중해서 평균 이상의 실적을 올리는 직원이 되었다고 한다. 만약에 말을 더듬지 않으려는데 집중했다면 자기 회사 제품 소개를 적절하게 하지 못했을 가능성이 높다.

손바닥 이야기를 조금 더 이어 보고자 한다. 10년 전에는 강점과 약점의 크기가 같았는데 10년 뒤 강점이 10층 건물처럼 커지고 약점의 크기는 그대로라면 약점은 어떻게 보일까, 보이기는 하는가? 약점의 크기는 변했는가, 없어졌는가? 아니다, 본래의 크기 그대로이다. 하지만 강점의 크기가 워낙 커졌기 때문에 약점은 눈에 띄지도 않는다.

공부 잘하는 사람은 자신의 강점 화분에 매일매일 물을 준다.

공부 잘하는 사람, 좋은 자아(自我)를 만든다

시험은 필연적으로 비교를 낳는다. 비교는 필연적으로 패배감을 낳는다. 패배감은 자아존중감을 훼손한다. 자아존중감이 낮은 사람은 행복하지 않다. 공부의 목적이 시험이듯이 시험은 반드시 '시험 점수'라는 부산물이 시험을 지배한다. 점수는 비교의 척도로 탈바꿈한다. 우리나라는 점수 경쟁으로 거대한 비교의 울타리에 갇혀있다. 점수 경쟁은 개인의 긍정적 성장과는 거리가 멀고 선발을 위한 서열화의 상대평가로 비교행복의 습(習)을 강력하게 형성한다.

며칠을 굶은 사람이 딱딱한 빵 한 조각을 먹으며 감사와 행복을 느끼다가, 다른 사람이 보글보글 끓는 김치찌개로 따뜻한 밥을 먹는 모습을 보며 감사와 행복감이 사라지는 '비교행복'의 습(習)은 결코 진정한 행복을 가질 수 없다. 따듯한 밥을 먹다가 돼지갈비를 먹는 사람을 본다면? 소고기 등심을 먹는 사람을 본다면? 어떻게 해야 행복을 얻을 수 있을까?

취직만 해도 행복했다가, 동료가 대리·과장·부장으로 승진하는 모습을 보며 행복을 느끼는가? 세상에 비교할 대상이 얼마나 많은가? 비교행복은 불행의 씨앗이다.

상대평가의 세상에도 비교행복이 아닌 절대행복을 추구하는 사람들이 반드시 존재한다. 국영수 시험 1등급의 카르텔에도 20대

80의 법칙이 있듯이 등급화, 차별화의 사회에도 절대행복을 추구하는 20%의 사람들이 있다. 그들은 스스로 행복의 환경을 만들어 간다. '행복도 교육과 훈련이 필요하다'는 니체의 말이 있듯이, 변화되지 않는 제도 속에서도 행복을 느끼는 방법이 있다. 나의 Self(자아, 自我)를 비교행복에서 절대행복으로 바꿔주는 것이다.

Self는 내가 나에게 하는 말로 형성되기에 평소 '나'라는 주체를 통해서 나가는 말이 결국은 나의 Self가 된다. 즉 말은 '마알'로, '마음의 알갱이'라는 표현이 있듯이 내 마음의 알갱이가 변하면 절대행복으로 더 쉽고 빠르게 갈 수 있다.

자기가 평소 사용하는 말을 긍정적 언어로 바꿔줌으로써 세상 사람들과의 '차이(差異), 틀림'이라는 밀어내는 비교 습관에서 '나와 다름'이라는 '수용'으로 전환되어 비교행복에서 절대행복으로 전환할 수 있다.

공부 잘하는 사람은 약점 보다는 강점에 집중한다는 이야기에서 이런 인용을 했다. "사람은 누구나 강점과 약점이 있다. 사람은 누구나 행복과 불행이 있다. 사람은 누구나 좋아하는 것과 싫어하는 것이 있다. 사람은 누구나 잘하는 것과 못하는 것이 있다."

위의 글을 이렇게 바꾸어 보겠다.

"사람은 누구나 강점과 강하지 않은 점이 있다. 사람은 누구나 행복과 행복하지 않음이 있다. 사람은 누구나 좋아하는 것과 좋아하지 않는 것이 있다. 사람은 누구나 잘하는 것과 잘하지 못하는 것이 있다."

약점이 강하지 않은 점, 불행이 행복하지 않음, 싫어하는 것이 좋아하지 않는 것, 못하는 것이 잘하지 못하는 것으로 바뀌었다. 선(善)·악(惡)으로 구별 지으며 비교하는 이분법적 언어를 착함(善)·착하지 않음(不善)으로 전환하는 것이다. 비교하는 언어에서 벗어나 상대를 수용하며 '나와 다름'을 인정하는 마음이 생기는 것이 '절대행복'의 출발점이 될 수 있다.

만나는 사람이 주로 사용하는 말을 들으면 그 사람이 어떤 사람인지를 판단하는 중요한 잣대가 되는 것이다. 그래서 취업할 때 '상대평가, 서열화를 위한 시험'이 아닌 응시자의 이야기를 듣는 '인터뷰'로서 직원을 뽑는 것이다.

나의 Self를 전환하는 가장 강력한 방법은 자기 확언(確言)이다. 김주환 교수는 내면소통에 대한 강의에서 다음을 설파했다.

내가
나에게
나에 대해서
진심으로 하는 이야기는
가장 강력한 힘입니다

그래서 평소에 밥 먹듯이, 귀에 박히도록 사용하는 '공부'라는 단어의 진정한 의미를 찾아주어야 한다. 말은 Self(자아)에 강력한 영향을 주기 때문이다.

내가 하는 말은 주변에 영향을 미치기에 긍정의 말을 하는 것은

나의 권리가 아닌 책임과 의무이다. 특히 사회적으로 책임 있는 위치에 있는 사람은 더욱 긍정의 언어를 사용할 책임과 의무가 있다.

공부 잘하는 사람은 일상을 되돌아보며 좋은 자아(自我)를 위한 언어 습관, 몸짓을 만들어 간다. 나를 살피는 것부터 출발해야 이웃에게도 좋은 영향을 나눌 수 있다. 그런 마음가짐이 하루하루를 더 행복하게 만든다. 시간이 흐를수록 마음을 닦는다는 의도적인 노력이 자연스럽게 체득되어 저절로 행복한 수련의 삶이 된다. 공부는 그런 것이다.

공부 잘하는 사람, 인생은 락(樂)이다

불교에서 인생은 고(苦)와 락(樂)이 왔다 갔다 순환하기에 인생을 '윤회(輪回)한다'고 한다. 그래서 인생은 고(苦)이기에 '괴롭다'라고 법륜스님이 즉문즉설 등의 강연에서 말씀하셨다. 스님의 강연에는 언제나 수많은 청중이 수많은 사연을 고백하는데 들어보면 인생은 역시 고(苦)라는 생각이 든다. 하지만 왜 고(苦)를 선택해야 하는지 의문이 든다. 분명히 락(樂)도 있는데 말이다.

하도 잘 웃어서 웃는 목사(the Smiling Preacher)'라는 별명으로 유명한 조엘 오스틴(Joel Osteen)은 '긍정의 힘(Your Best Life Now)'에서 'Choose to be Happy, 행복하기를 선택하라'를 설파했다. '행복은 주어지는 것이 아니라, 행복은 감정이 아니라 선택(選擇)하는 것이다'라고 세상에 이야기했다.

공부 잘하는 사람, 즉 삶을 생각하며 통찰을 통해 살아가고자 하는 사람은 분명히 선택의 힘이 있다. 그런 사람들은 긍정의 습(習)으로 바꾸려는 노력으로 절대행복의 비중이 서서히 높아지는 삶을 살게 된다.

우리는 높은 지위가 있고, 막대한 부를 쌓았다 하더라도 매일 매일의 날씨에 영향을 미칠 수는 없다. 지위의 고저, 부자와 가난한 자, 배운 자와 못 배운 자의 상관이 없이 날씨에 영향을 미칠 수 없다. 그러나 날씨를 보면서 나의 감정과 말은 선택할 수 있다.

비가 내리면, '에이, 축축해서 싫어'와 '비가 오니 새싹들이 많이 올라오겠는걸', 해가 뜨면, '아이고, 자외선은 피부의 적이다'와 '오늘은 빨래가 뽀송뽀송 마르겠는걸', 바람이 불면, '추워 죽겠다'와 '시원하니 정신이 맑아지네'......

선택은 자유이다. 무엇을 선택할지는 자신에게 달려있다. 긍정의 정서를 자주 선택할수록 인생은 락(樂)으로 갈 수 있다. 선택은 Self(자아)에 영향을 미친다.

공부는 '국영수 시험 1등급을 위해서 한다'는 것에서 공부는 '자아실현을 위해서 하는 것'으로 선택한다면 비교행복이 아닌 절대행복을 키울 수 있다.

선(善)·악(惡)으로 구별 지으며 비교하는 이분법적 언어를 착함(善)·착하지 않음(不善)으로 선택하듯이, 자신이 가진 강점과 약점에서 강점을 선택하듯이 '우리는 인생은 락(樂)이다'를 선택할 수 있다.

'인생은 고난의 연속이다'라고 한다. 그런데 어둠이 있기에 밝음을 알고, 아픔이 있기에 건강함을, 슬픔이 있기에 기쁨을, 절망이 있기에 희망을, 밤이 있기에 낮을...... 즉, 긍정의 편을 바라본다면 인생은 고난이 아닌 기쁨, 희망, 감사, 밝음의 연속인 것이다. 무엇을 보는가는 나의 선택에 달려있다.

고(苦)와 락(樂)의 비율이 99대 1이라 할지라도 락(樂)이 1은 있지 않은가? 공부 잘하는 사람은 1을 바라보는 힘을 키운다.

공부 잘하는 사람, 150세 삶도 행복하다

오늘이 행복한 사람은 내일도 행복하다. 올해가 행복한 사람은 내년, 10년 후, 그 이상도 행복하다. 행복은 절대행복으로 그 크기가 변할 수 없지만, 행복의 구성 요소는 변할 수 있다. 그래서 우리는 흔히 더 행복하다는 표현을 사용해도 무방하다.

예를 들어 초등학교 1학년 때는 진달래를 보고 행복했는데, 2학년 때는 진달래, 개나리를 보고, 3학년 때는 진달래, 개나리, 목련을 보고 행복하다면 행복의 경우의 숫자가 늘어난 것이다. 중학교에서는 스포츠활동을 하면서, 고등학교에서는 친구들과 여행을 다니면서, 어른이 되어서는 독서를 하면서...... 점점 행복의 경우의 수가 늘어날 수 있다.

학교에 다니는 목적은 '나는 누구인가?', '내가 잘하는 것, 좋아하는 것은 무엇인가?'를 찾아가는 과정이다. 그러기에 초등학교 1학년보다는 2학년 때 더 행복하고, 2학년보다는 3학년 때 더 행복할 수 있어야 한다. 이 질문의 밑바탕에는 '지금 그대로의 나, 있는 그대로의 나'를 존중하는 마음이 반드시 있어야 한다.

학년이 올라갈수록, 학교급이 올라갈수록 더 행복해야 하는 것이 학교 다니는 목적이자 공부하는 목적이다. 그러므로 공부 잘하는 사람은 점점 더 자신을 잘 이해함으로써 더 행복해지는 것이다.

금융문맹 탈출 독립운동가 존리는 올해보다 내년에 더 많은 가족, 더 많은 샐러리맨, 더 많은 청소년들의 경제 독립을 도우면서 우리나라의 금융문맹 탈출을 도울 것이다. 그래서 그는 미래가 더 행복할 것이다.

역사문맹 탈출 독립운동가 이덕일 선생님은 왜곡된 역사를 더 많은 사람에게 알려 식민사관에서 벗어나게 할 뿐 아니라 우리의 잃어버린 역사를 찾아서 바로잡아 국가의 천년지대계를 세움으로 세월이 지날수록 더 행복할 것이다.

문예문맹 탈출 독립운동가 방시혁은 자신의 전문성을 지속적이고도 창의적으로 발휘하여 '공부독립운동가'를 더욱더 많이 육성할 것이다. 또한 K-컬쳐의 확산을 통해 문화예술인에 대해 폄하하는 대한민국의 이중성을 개선하는 역할을 해 나갈 것이다. 그래서 오는 미래가 더 행복할 것이다.

체덕지문맹 탈출 독립운동가 박지성은 축구가 운동 기능만 갖추어서는 훌륭한 선수가 될 수 없기에 '학생 운동선수'에게 학습과 인성을 키워야 한다는 것을 설파하는 즐거움으로 생활할 것이다. 그 학생들의 변모해 가는 모습, 훌륭한 체육인, 훌륭한 리더로 성장하는 모습에 대한 기대로 미래가 더 행복할 것이다.

삶의 문맹 탈출 독립운동가 법륜스님은 자신의 존재에 대한 존중을 찾을 수 있도록 도우며 어려운 이웃, 어려운 나라 사람과 나눔을 확장하면서 행복을 나누는 미래를 가질 것이다.

지금 행복하지 않은 사람은 미래에 대한 행복을 확신할 수 없다. 지금은 행복하지만, 미래는 어찌 될지 모른다고 불안해하는 사람은 진정으로 지금 행복한 것이 아니다. 비교행복을 행복으로 착각할 경우가 많기에 진정한 행복감이 아니다.

지금을 행복하게 바라보는 강력한 방법은 감사하는 마음이다. 자신의 존재에 대한 감사, 이웃과 세상에 대한 감사가 넘쳐나면 절대행복감이 밀려온다. 존리 대표, 이덕일 선생님, 방시혁 대표, 박지성 선수, 법륜스님은 지금이 행복한 리더들이다. 그들은 매 순간 공부하는 사람으로 '나는 누구인가, 내가 좋아하는 것, 잘하는 것은 무엇인가?'를 물을 것이다.

자신이 좋아하고 잘하는 것을 하는 삶이 얼마나 행복할지 상상이 가는가? 그들에게 150세는 행복한 150세가 될 것이다.

공부 잘하는 사람, 회복탄력성이 높다

공부는 존재 자체에 대한 감사를 통해 마음 근력을 키워주는 과정이다. 공부 잘하는 사람은 마음 근력이 점점 더 강해지는 사람이다. 회복탄력성은 김주환 교수에 의해 우리나라에서 탄생된 용어이다.

영어 "resilience"의 번역어로 다양한 분야에서 연구되는 개념이며, 극복력·탄성·탄력성·회복력 등으로 번역되기도 한다. 회복탄력성은 크고 작은 다양한 역경과 시련과 실패에 대한 인식을 도약의 발판으로 삼아 더 높이 튀어 오르는 마음의 근력을 의미한다고 할 수 있다.

공을 바닥에 내리치는 강도가 높을수록 더 높이 튀어 오르는 것처럼 회복탄력성은 강한 시련으로 더 큰 성장을 가져오는 마음 근력이다. 우리 민족 자체가 회복탄력성의 DNA가 높기에 수많은 시련의 시대를 이겨냈듯이 수많은 개개인이 자신의 시련을 성장의 기회로 삼았다.

류현진은 야구 인생에서 4번째 큰 수술을 2022년 토론토 블루제이스 팀에서 받았다. 동산고 2학년에는 왼쪽 팔꿈치 인대 접합 수술을 받았고, 메이저리그에 진출한 뒤인 2015년에는 선수 생활을 건 왼쪽 어깨 관절와순 봉합 수술을 받았다. 어깨 수술과 팔꿈치 수술을 연이어 받은 류현진은 2017년 개막과 동시에 빅리그 마운드에 섰고 방어율 1위로 사이영상 2위에 올랐다. 이번 네 번째 수술은 30대 중반에 접어든 나이이다. 사람들은 그의 성공적인 복귀를 확신한다. LA Dadgers 구단에서 시즌을 포기하고 수술대에 올리는 모험을 선택한 것은 그의 긍정적인 마인드였다. 회복탄력성의 가장 중요한 요소는 긍정적 정서이다. 수술 뒤에 미국 메이저리그를 정복한 그는 '회복탄력성 1등급'이지 '국영수 시험 1등급'은 아니다.

이승엽 선수는 고등학교 때 투수로 경북고 시절에는 청룡기에서 최우수 투수를 수상하였고, 노히트 노런도 기록한 선수였다. 대학 입학 예정이었으나, 낮은 수능 점수로 인해 대학 진학이 어려워 프로구단에 입단하게 된다. 팔꿈치 부상으로 투수 훈련을 제대로 소화하지 못하게 되며 불가피하게 타자로 전향하게 된다. 그는 한 시즌 홈런 56개로 아시아 신기록을 세우기까지 얼마나 시련을 겪었을지 보통 사람은 상상도 할 수 없다. 투수가 어떤 공을 던질지 예상하는 '게스히팅(Guess Hiting)'을 연마하며 선수 생활을 이어 왔다. 일본 프로야구의 말도 안 되는 텃새를 이겨 내고 리그 홈런 2위에 오르기도 했다. 그 역시 국영수 1등급과는 아예 거리가 멀었지만 뛰어난 회복탄력성을 발휘했다.

정주영(호 아산)은 근면 성실과 신뢰를 바탕으로 19살 무렵 취업했던 쌀 가게를 23살 때 넘겨받아 장사를 시작했다. 가게가 번창했으나 일본이 전시(戰時) 체제령을 내려 쌀 배급제를 실시하게 되어 가게문을 닫아야 했다. 정주영이 본인의 사업에서 처음으로 좌절을 맛본 사례다. 이후 1940년 25세 나이에 자동차

수리 공장을 인수하였으나 어느 날 새벽 직공의 실수로 불이 나 순식간에 잿더미가 됐다. 정주영은 이후에도 수많은 실패를 거듭했다. 실패 속에서 그는 더욱 성장하였다. '시련은 있어도 실패는 없다'라는 정주영의 자서전은 그가 만든 회복탄력성의 또 다른 표현이 된다.

그 역시 국영수 시험 1등급이 아니었다. 학교 교육의 기간도 매우 짧았지만, 우리나라를 부자로 만든 최고의 회복탄력성을 가진 리더였다.

가정환경이 불우했지만 성장하는 삶을 사는 사람들, 자신에게 역경이 닥쳤지만, 행복한 삶을 사는 사람들의 공통점이 있다. 한 명 이상의 누군가가 자신을 믿어주는 사람이 있다고 한다. 만약에 자신을 믿어주는 사람이 타인이 아닌 '자신'이라면 최고의 회복탄력성을 지닌 것이다. 공부는 자신을 믿어가는 역량을 키우는 것이다.

공부 잘하는 사람, 성공보다는 성장을 지향한다

성공(成功)은 '목적을 이룸', 성장(成長)은 '점점 커짐'의 사전적 의미가 있다. 성공은 목표 지향적이고, 성장은 과정 지향적이다. 성공은 끝이 있고, 성장은 지속적이다. 우리의 관념 속에 성공은 성취인 두잉(Doing)의 결과물이고, 성장은 존재인 비잉(Being)에 초점을 둔다. 눈에 보이는 결과물인 성공은 자칫 '비교행복'의 결과를 초래한다. 존재(存在)에 대한 성장을 지향하는 관점이 '절대행복'을 느낄 수 있다.

인생의 목표를 일정 결과물인 성공에 둔다면, 마음이 조급해지고, 쫓기는 삶을 살게 된다. 조급함과 쫓김은 남과의 비교, 자기 비하, 동료와 윈-루즈(win-lose)의 관계 등에 빠지게 된다.

공부가 국영수 시험 1등급이 되었듯이 진로(進路) 교육이 직업(職業)교육이 된 지 오래다. 꿈을 묻는다면 십중팔구는 '직업'을 이야기하지 '가치'를 말하지 않는 것이 그 증거이다.

의사가 꿈인, 정확히 말하면 직업이 의사가 꿈인 학생이 국영수 1등급으로 대학에 진학하면 일단계의 목표는 '성공'이다. 대학에서 자신의 꿈인 의사가 되는 순간까지 또다시 죽어라 '시험공부'를 '공부'라고 부르며 공부한다. 그리고 마침내 꿈꿔온 직업인 의사가 된다. 목표에 도달한 초창기에는 정말 기뻤을 것이다.

초등학생 사이에 '의대 입시반' 학원이 생길 정도로 인기 있는 선망의 직업을 쟁취(?)했으니 오죽 기쁘겠는가? 그런데 다람쥐 쳇바퀴 돌며 아픈 사람만 만나는 의사 생활이 고달프다. 돈은 많이 벌지만, 삶이 재미가 없고 의미가 없기에 자신에게 주는 보상으로 술, 골프, 레저, 명품, 휴가 등이 된다. 막상 성공한 지점에 서보니 허무한 것이다. 진로 교육이 직업교육이 된 결과가 우리의 현실이다. 진로 교육은 끝없이 확장되는 성장 지향이고, 직업 교육은 종착역이 있는 성공 지향이다.

의사가 되어서 '어려운 환자를 위해 저렴한 신약을 개발한다'는 성장지향적 가치를 꿈으로 두었다면 의사가 된 후에도 그는 타인과의 나눔을 위해 진정한 공부를 했을 것이다. 성장을 지향하는 삶이 진정으로 공부 잘하는 삶이기에 오늘도 행복하고 내일도 행복할 수 있다. 성장은 끝이 없기에 매일매일이 즐거운 일상이 되는 것이다.

성공을 목표로 했을 때 실패하면 좌절에 빠질 가능성이 높지만, 성장을 목표로 한다면 실패가 더 큰 성장의 밑거름이 되는 것이다. 에디슨은 4,000번의 실패가 아닌 4,000가지의 전기가 발생되지 않는 방법을 알게 되었다고 하는 것은 바로 성장에 가치를 둔 것이다. 성공에는 결과가 눈에 나타나는 것으로 분야가 제한적이다. 하지만 성장은 보이지 않는 정신적인 부분까지 포함하기에 더욱 다양한 분야가 있다. 그러기에 경쟁이 아닌 공존의 삶을, 비교가 아닌 절대적 행복의 삶을 살 수 있다. 조급함이 없이 자신의 속도에 맞는 자기 주도적인 삶을 살 수 있다.

103세의 김형석 교수는 왕성한 강연 활동으로 지금도 성장하고 있다고 한다. 성장하는 삶은 미래가 희망적이고 더 큰 기대감이 기다린다. 우리나라에는 에디슨의 훌륭함을 능가하는 '성장'주의자들이 곳곳에 포진해 있음이 너무도 자랑스럽다.

공부 잘하는 사람, 열린마음과 창의적이다

호머 헐버트(Homer Hulbert)는 미국 선교사로 우리나라 한글 발전에 지대한 영향을 미쳤다. 조선에 들어온 지 3년 후인 1889년에 선비와 백성 모두가 반드시 알아야 할 지식을 순 한글로 조선 최초의 교과서를 만들었다.

그는 띄어쓰기가 없어서 생기는 불편함을 발견하고 띄어쓰기를 주장 및 계도(啓導)한 사람이다. 그 당시 한글은 '아버지가방에 들어가신다'라는 식으로 붙여 썼다. '아버지, 가방에 들어가신다'와 '아버지가 방에 들어가신다'로 완전히 다른 해석을 하게 된다.

창의성은 타인에 대한 배려에서 시작된다. 호머 헐버트는 배움의 기회가 부족한 사람에 대한 긍휼한 마음이 발(發)하여 한글로 쓴 교과서를 만들었고, 쉽게 배울 수 있게 하여 배움의 성과를 높이고자 궁리(窮理)를 했을 것이다. 스스로에게 질문을 했기에 한글 띄어쓰기에 대한 아이디어가 탄생했을 것이다.

창의적인 사고를 가진 사람은 열린마음에서 출발한다. 세상을 바라보는 시각이 다양하고 긍정의 방향에서 살피는 습(習)이 있다. 고정관념을 벗어던지고 궁리하는 삶을 즐기는 사람은 마음이 열려있기에 저절로 새로운 생각이 떠오르는 것이다. 궁리의 출발점은 나와 너, 우리에게 더 이로움이 있게 하려는 마음이다. 그러기에 행복하고 즐거운 삶 자체가 창의적인 생활의 연속이 되는 것이다. 내일은 또 다른 날이 되기에 수명 연장의 시대가 더 기대될 뿐이다.

세종대왕의 한글 창제는 백성에 대한 배려에서 출발한 것이지 자신의 학문적 성과를 위함이 아니다. 백성들은 생업에 종사하느라 배움의 기회가 없을 뿐 아니라 '한자'의 습득 자체가 난해하여 쉽게 배울 수 없었다. 배움이 부족하니 가난한 자는 후대(後代)도 가난한 자, 못 배운 자는 자식도 못 배운 자의 악순환이 지속될 수밖에 없다. 세종대왕의 새로운 글자의 창제는 백성에 대한 배려와 사랑에서 출발한 것이다.

열린마음과 창의성은 다양성을 포용하고 수용하는 능력이 지속적으로 향상되게 한다. 세상에 존재하는 헤아릴 수 없이 많은 다양성에 대한 이해는 인류의 의식수준을 높여준다. 남녀의 차별, 빈부의 차별, 인종의 차별, 학벌의 차별, 민족의 차별에서 자유로워지기에 세상을 따뜻하게 바라보고 따뜻하게 품는다.

공부 잘하는 사람의 몸과 마음은 언제나 열려있고 세상을 이롭게 하는 일을 늘 궁리(窮理)한다. 그래서 언제나 즐겁고 행복하다.

빅뱅. Big Bang

-남이 아닌 나의 삶이다-

빅뱅은 천문학 또는 물리학에서, 우주의 처음을 설명하는 우주론 모형으로, 매우 높은 에너지를 가진 작은 물질과 공간이 약 138억년 전의 거대한 폭발을 통해 우주가 되었다고 한다. 우주의 크기는 점점 더 커져 약 1,000억~4,000억 개의 별로 이루어진 은하계의 수(數)가 수천억 개라고 한다.

매우 높은 에너지를 가진 물질이 폭발하면 어마어마한 크기로 확장된다. 개인의 에너지가 높으면 그 사람의 성장 가능성은 무궁무진(無窮無盡)해 진다. 작은 씨앗이 우람한 나무로 성장하고 세월이 흘러 울창한 숲이 된다. 울창한 숲은 생존할 수 있는 강한 씨앗이 있어서 가능해진다. 씨앗이 튼실하지 못하면 싹을 틔우지도 못하고 흙으로 변하지만, 에너지 넘치는 씨앗은 흙의 영양분을 먹으며 딱딱한 땅을 뚫고 세상 밖으로 나온다.

각종 분야에서 문맹탈출을 이룬 공부독립운동가의 존재는 우리에게 빅뱅의 에너지를 나누어주고 있다. 그들도 거대한 세월호와 같은 공부문맹의 세계에 태어났지만, 좌초 위기에 빠진 배에서 뛰어내릴 용기를 냈다. 예상할 수 없는 익숙하지 않은 환경에 대한 두려움과 얻을 수 있는 부와 명예의 편안함을 내던지고 '퍼스트 펭귄'이 되어 차가운 바닷물로 뛰어들었다.

공부문맹 탈출로 더 이상 확장될 수 없는 국영수 시험 1등급의 '레드오션'에서 다양성과 빅뱅의 성장 가능성의 '블루오션' 세계로 나아갔다.

존리 대표의 금융문맹 탈출은 기존의 금융(주식) 전문가와 주식에 대한 일반인의 편견·선입견에 힘을 발휘하지 못했다. 계란으로 바위 치는 것보다도 더 어려운 일이었다.

이덕일의 역사문맹 탈출은 대한민국 국민의 역사 인식의 낮은 수준과 역사 왜곡 주도 세력의 주도면밀하며 지속적인 활동 속에 검찰에 기소되는 위기의 순간도 있었다.

방시혁의 문예문맹 탈출은 K-Culture를 자랑스럽게 생각하면서도 춤과 노래, 연기에 종사하는 분야에 대한 비하(卑下)적인 이중성에 빠져 그들의 위업(偉業)을 폄하(貶下)했다.

박지성은 악과 깡으로 뛰는 치열한 정신력(精神力)을 강조하는 세계에서, 훌륭한 인성과 학습(學習)은 축구 실력과 무관하고, 축구와 별개라는 편견 강한 분야에서 외롭게 체덕지 교육을 실천했다.

법륜스님은 위엄을 내세우며 대중과의 거리를 두는 종교인들의 곱지 않은 눈초리를 인식하였지만, 대중과 대화하며 그들의 이야기를 들어주는 길을 택했다.

처음에 그들의 영향력은 너무 미미해서 흙 속에 녹아든 씨앗으로 여겨졌기에 티끌만큼의 변화도 없었다. 사회는 그들의 이야기에 귀를 기울이지 않고 냉대했고 자신들의 길로 오라고 회유했다. 안락한 삶을 내던진 그들에게 사회는 집이 아닌 정글로 변하였다. 여기저기서 물어뜯으려는 기득권 집단과 그 집단 주변에서 힘없지만, 콩고물이라도 얻으려는 하이에나들로 들끓었다. 그들의 존재는 고려 대상이 되지 않을 정도로 약했다.

대나무의 씨앗을 뿌리고 1년이 지나고, 2년이 지나도 땅을 뚫고 나온 싹이 없어도 계속해서 물을 주니 3~4년째 죽순이 30cm 가량 나왔지만 성장을 멈춘다. 5년째 대나무는 하루에 1미터 가량 폭발적인 성장을 시작한다. 양자역학의 퀀텀리프가 대나무 자람에 적용되듯이 우리에게도 그런 성장이 찾아온다.

존리의 금융문맹 탈출은 퀀텀리프가 되어 금융문맹률 90%를 걷어내어 N포 세대를 없애며 출산률과 행복도를 폭발적으로 높일 것이다. 이덕일의 헌신적인 연구와 힘찬 외침은 역사왜곡으로 무너진 자존감을 깨우는 기폭제가 될 것이다. 우리 민족의 DNA를 불러와 인류에 나눔을 실천할 것이다. 방시혁 대표의 빅뱅은 잃어버렸던 문화예술 강국을 되살릴 것이며 찬란한 문명을 탄생시킬 것이다. 박지성의 퍼스트펭귄 같은 역할은 스포츠계만이 아닌 국민이 체덕지의 전인교육으로 건강한 대한민국을 만들 것이다. 법륜스님이 열심히 뿌린 씨앗은 민들레 홀씨가 되어 전국 방방곡곡의 사람들이 주인 된 삶을 살 것이다.

문맹탈출의 공부독립운동가가 눈에 띄게 두드러진 분야는 매스컴의 관심이 높은 스포츠 분야이다. 박찬호는 야구계의 공부독립운동가이자 퍼스트펭귄이 되어 미국 메이저리그 진출로 김병현, 추신수, 류현진 선수 등이 뒤를 이었다. 김연아는 피겨스케이팅의, 이승훈은 스피드 스케이팅 장거리의, 이상화는 스피드 스케이팅 단거리의, 박세리는 골프의, 김연경은 배구의, 박지성은 축구의, 우상혁은 육상 높이뛰기의, 박태환은 수영의 공부독립운동가들이다. 그들은 체(體)만이 아닌 체덕지의 삶을 보여주고 있다. 다른 분야는 눈에 띄지 않을 뿐이지 문맹탈출 선봉장에 뒤이어 수없이 많은 이들의 공부독립운동가가 탄생되고 있다.

천체망원경의 기술이 진보될수록 은하계의 개수가 늘어난다고 한다. 더 많이 보인다는 의미이다. 우리의 시각이 높아지고 통찰력이 생길수록 공부독립운동가들의 영역도 확대될 것이다. 그것은 곧 빅뱅의 퀀텀리프가 이루어져 대한민국에 퍼질 것이다.

소크라테스의 'Know yourself, 너 자신을 알라'라는 글귀에서 나의 강점을 찾으려 해야 한다. 아리스토텔레스의 'Who am I, 나는 누구인가?'에서 내가 좋아하는 것, 내가 잘할 수 있는 것을 찾아야 한다. 나를 찾아야, 나를 알아야 에너지를 높일 수 있고 어느 순간 인생의 빅뱅, 사회의 빅뱅이 일어날 것이다.

국영수 시험 1등급이 '이끄는' 사회에서 공부 잘하는 사람이 '함께하는' 사회로 퀀텀리프할 것이다. 유대인은 '자기 민족만' 사랑하지만, 우리는 '타민족도' 사랑한다. 종교분쟁이 없는 나라, 안전한 나라, 차별이 없는 나라, 나눔이 넘치는 나라는 빅뱅을 할 자질이 넘친다. 그날이 멀지 않았다.

에필로그

'S.O.S~, 공부문맹 탈출에 동참할 분들을 찾습니다'

'공부문맹 탈출'을 포함하여 앞으로 제가 쓰는 책이 당분간 세상의 주목 받지 않기를 희망합니다. 공부에 대한 올바른 방향의 생각을 하는 0.1%의 사람들이 존재하는 환경에서 저 홀로 맞서는 경우가 생긴다면 그것을 이겨낼 역량이 의심스럽습니다.

0.1%의 사람들이 똘똘 뭉쳐있다고 해도 쉽지 않을 텐데 서로 서로가 어디에 있는지도 모르고 있는 현실입니다. 그러기에 저의 내공(內功)을 쌓는 기간과 0.1%의 사람들을 찾는 데 시간이 필요합니다.

제가 쓴 책은 바로 그러한 분들을 찾기 위해 세상에 보내는 신호(信號)와 같습니다. 오랫동안 99.9%의 공부문맹 사회에서 용기를 내지 못해서 말 못했던 분들, 무언가 잘못된 거 같은데 콕 짚어서 이야기하지 못했던 분들, 학교와 사회가 시험 천국으로 변하는 이상한 현상을 안타깝게 바라본 분들, 꿈·끼를 발산하는 학생들을 보고파 하는 분들...... 이 분들을 찾아내는 신호입니다.

저는 매일매일의 삶에서 '공부문맹 탈출'을 꿈꾸는 사람들이 서로를 알아볼 수 있는 신호를 만드는 데 집중하고 있습니다. 그것이 신이 제게 준 달란트입니다.

공부문맹 탈출을 읽고서

-'달걀로 바위치면 자국은 남는다'라고 용기 준 친구-

서울개명초등학교 교감 임 명 택

'공부문맹 탈출'을 읽고 난 느낌으로 저자는 두 가지 길을 안내하고 있다고 여겨진다.

첫째, 우리 사회의 구성원 모두가 행복할 수 있을까? 라는 물음에 '그렇다'라고 답하면서 공부문맹 탈출만이 모두가 행복한 삶을 살아갈 수 있는 길로 안내하고 있다.

둘째. 대한민국의 교육이 가지고 있는 가장 큰 문제로 공부에 대한 잘못된 생각, 공부에 대한 무지를 안타까워하고 공부에 대한 용어 정의 및 공부의 목적 등에 대해 포괄적으로 안내하고 있다.

현 사회에서 공부라 함은 국어, 영어, 수학 등 시험에 나오는 과목들을 익히는 것이고, 공부를 잘하는 것은 이러한 과목에서 우수한 성적을 거두는 것, 아니 다른 사람보다 더 높은 점수를 받는 것이 '공부를 잘한다'라고 규정하고 있다.

우리나라 사람들은 시험을 잘 보는 공부를 잘해야만 행복한 삶을 살 수 있다고 맹신한다. 이에 따라 학생을 포함한 모든 사람이 국어, 영어, 수학에서 우수한 성적을 거두기 위해 혹은 거두게 하게끔 학생의 꿈과 끼, 취미와 특기 등 개인적인 자질과 전혀 상관없이 성적 올리기에 힘쓰고 있다. 자신의 시간과 돈, 노력을 끊임없이 투자하면서 지금은 힘들지만 앞으로 행복해질 것이라는 믿음에 자신과 자녀를 몰아 넣고 있다.

우수한 시험 성적만으로 모두가 행복하기는 불가능하다. '모든 사람이 국영수 시험 100점을 받으면 행복하다'라는 말도 안 되는 가정을 했을 때, 모두가 100점을 받게 되면 아마도 또 다른 100점을 필요로 하지 않을까?

우리가 가지고 있는 꿈과 끼, 소질과 적성에 맞으며 자신이 진정으로 좋아하는 것에 온 마음과 힘을 다해 노력할 때 각자가 행복한 삶을 영위할 수가 있을 것이다. 좋아하는 일에 집중하고 그 분야에서 지식과 기능을 익혀 지혜를 갖게 되는 것이 진정한 공부임을 아는 길이 공부 문맹에서 탈출할 수 있는 길이라 믿는다.

국영수 시험 1등급이 이끄는 사회, 공부문맹의 사회에서 탈출하여 우리 모두 행복한 삶을 영위할 수 있는데 나 스스로 일조(一助)할 것을 다짐한다. 달걀로 바위 치는 사람이 하나에서 둘로, 둘에서 셋으로 늘면 자국도 크게 남을 테고, 언젠가는 바위가 깨질 것이다. 저자인 친구의 믿음에 응원과 지지를 보내고 싶다.